不安が自信に変わる話し方の教室

Classroom of speech

大学でも教えているフリーアナウンサー
深沢彩子

人前で話すことに自信がない文筆家
稲垣麻由美

三才ブックス

はじめに

彩子先生からのご挨拶

私は大学で「話し方」を教えています。これまでのアナウンサー生活で、たくさんの失敗をしながら学んできたことを基にした授業です。ちょっとしたコツをつかむと、学生は驚くほど伸びていきます。

ところが私自身は、学校で「話し方」を習った経験がほとんどありません。大学時代に通ったアナウンス学校で受けたのが、私にとって初めての「話し方」の授業でした。その授業で聞いたコツや、話すことに対する心構えのようなことは、今でも良く思い出します。

私同様、世の中のほとんどの人が、「話し方・伝え方」を習ってこなかったと思います。それなら、今、大学の授業でやっていることを本にまとめてみようと思い立ちました。

企画の相談に行った三才ブックスさんで、運命の巡り合わせのように出会ったのが、文筆家の稲垣麻由美さんです。

麻由美さんは言葉のプロです。でも、「話すことには自信がない」とおっしゃいました。確かに、声がしっかり出ていなかったり、早口になったり……と、いくつかの悩みを抱えているようです。

そこで、麻由美さんの疑問に答え、実際にレッスンを受けてもらうという形で本づくりが始まりました。その過程でちょっとした工夫をしたら、たったの5秒で麻由美さんの声が劇的に変わった瞬間に、私は立ち合うことができました！

話す場はさまざまでも、話す機会は誰にもあります。プレゼンに臨むビジネスパーソン、面接を突破したい就活生、インターネットに自分の音声や映像を投稿したい人、テレビ出演の機会もある経営者や政治家、そして、口下手だけれど本当は伝えたいことがたくさんある人……。

話の中身以前に、話すときの態度や声、そして心構えが、実はとても大切です。**ほんの少しコツをつかむと、話の印象も本人の印象も、劇的にアップします。**そんな、学校ではなかなか教えてくれない「話し方・伝え方」をこの本では伝授します。麻由美さんがコツをつかんだように、あなたにも劇的に変わる瞬間が訪れると、とても嬉しいです。

プロローグ

運命の出会い、半年間の話し方レッスンがスタート

たくさん話すわけではないのに、その人の言葉ひとつひとつが心に残ることがあります。

自分のことを、思っていることを、一生懸命伝えようとしているのに、言葉を尽くすほどに、伝わらないと感じることがあります。

それは、**会議やプレゼンの場でも、講演会やＰＴＡの場であっても、ときには家族や友人といった身近な間柄であっても、「想いを届ける・伝える」というのは本当に難しいこと**です。

例えば、政治家の選挙演説や公開討論などを見ていても、「この人の発言には思わず耳を傾けてしまうけれど、どうして、あの人の話し方は薄っぺらいと感じるんだろう……」

そんな風に思うことがあります。

また、今はＳＮＳ全盛時代。動画が身近なものとなり、いつしか、見る側から一転して、自

分が映っていたり、発信する立場になっていた、という方もいらっしゃることでしょう。

「心に届く話し方」「感じの良い話し方」「印象に残る話し方」は、私の長年のテーマでした。

私の仕事のメインは「書くこと」ですが、この頃、人前で話すことが増えて、その度に、ひどく落ち込むようになりました。頭が真っ白になってしどろもどろになったり、やたらと早口になったり。その上、ありがた迷惑なことに、その恥ずかしい姿が知らぬ間にYouTubeにアップされていて、自己嫌悪に陥ることもしばしばです。

また、政治家や経営者の方などに、そのお立場にふさわしい外見の提案をするビジュアルブランディングの仕事もしているのですが、どんなに素敵な装いを提案し、変身して頂いても、話し方が残念だとがっくりすることが多々あります。むしろ、そのカッコ良い装いが印象をマイナスにしてしまう要素となることも。

話し方は、第2印象をつくる要。声の良い男性の方が、見た目が良い男性よりモテるというのは厳然たる事実です。周りを見回してみて、今、深く頷かれた方もいらっしゃることでしょう。

ちなみに欧米の政治家は、候補者となったときから、声の質を低く通るものに変える、というレッスンを重ねていきます。うーん、それに比べて我が国の政治家は……。

そんなあれこれを考え、**「一度、ちゃんと話し方について学びたい」と思い続けていたところ、思いがけずチャンスが巡ってきました。**なんと、アナウンサー歴40年の深沢彩子先生から直接伝授して頂ける機会に恵まれたのです！　彩子先生はＮＨＫ ＦＭで30年以上続く人気長寿番組「歌謡スクランブル」のＤＪとしてもお馴染み。その落ち着いた声と優しい語り口に癒される人も多く、東日本大震災後、避難先で暮らす方々から「番組を聴いているとほっとする」……と、そんなお手紙がたくさん届いたそうです。

初めて先生と出会ったのは、この本の出版社・三才ブックスさんの会議室。たまたま面会時間が重なり、編集長に紹介されたのがご縁の始まりです。アナウンサーといえば、テレビ画面の外では、押しの強い方が多いという印象を私は正直なところ持っていたのですが、深沢先生はご自身の方から深々と頭を下げてご挨拶してくださり、こちらが恐縮したのを良く覚えています。実に穏やかな笑顔と上品な物腰に、私は完全にノックアウトされました。そして、とにかく聞き上手。**魔法にかけられたように、私は先生の絶妙なあいづちにすっかり気分が良くなって、自分の話し方に関するこれまでの失敗談や悩みを初対面の先生にぶつけていました。**

「たくさんの人の前で話すと目線が泳いじゃうんです」
「自分の声は、努力すれば変えられるんですか？」
「『伝わる』と『伝える』の違いってなんですか？」

そして、その様子をしばらく見ていた編集長の神浦高志さんがポツリとおっしゃいました。

「今のやりとり、それ、本にしましょう」

「えっ?」

「だって、もったいないでしょう。この特別授業。同じように彩子先生に教えてもらいたい人がいるはずです。僕だって聞いていて面白いし、もっと教えて欲しいと思いました。編集者だって何やら面倒なことに人前で話すことが避けられないご時世です。稲垣さん、ちゃんと実況中継、いやいや、実況執筆できますよね?」

「えっ、そ、そりゃぁ、トライしてみたいですけど……」

「彩子先生、この方向でどうですか?」

「良いですね」(彩子先生スマイル♪)

「では、お得なお役目、稲垣さんに授けます!」


——そして、それから半年。**みっちりレッスンを受けて、この本がこうして、形となりました♪**

タイトルは『不安が自信に変わる話し方の教室』。さて、私の不安はいかに……。

contents

第2章
どんな風に、どう話せば、ちゃんと伝わりますか？

第3章

届く声の磨き方、私にもできる方法を教えてください！

第4章

カッコ良く人前で話せるようになりたい！

第5章

相手の心にちゃんと届く言葉の選び方

第6章

Webメディア時代の伝え方・話し方

エピローグ

相手の心に種をまく

おわりに

巻末付録

この本の登場人物紹介

深沢彩子（ふかざわ・あやこ）

キャリア40年以上の「現役女子アナ」兼大学講師。学生時代は演劇に熱心になりすぎ、就職活動を前に途方にくれる。新聞でたまたま見かけたアナウンス学校の広告にピンときて放送局を目指すが、キー局の求人はゼロ、準キー局は男性のみ募集、狭き門を実感する。地方民放局に採用され、その後フリーに。FMの音楽番組DJやテレビのナレーター、レポーターなどをつとめながら、40代で社会人として大学院に入学、日本語学を研究。卒業後は本名の山田彩子名で大学講師もつとめ、スピーチなどを教えている。趣味は山歩き・旅行・猫ウォッチ。近所の猫に話しかけては、迷惑がられたり、なつかれたりしているのが至福の時間。

稲垣麻由美（いながき・まゆみ）

「それって、どういうことですか？」を連発する質問魔の文筆家。ときには煙たがられるも、本人は「だって、そうじゃないと書けないもん」と開き直っている。相手の社会的地位に関係なく質問できるのは、最大の強みか？　そのくせ、自分が人前で話すのは大の苦手。また、ライター・編集者時代に、著名人のインタビューを多数した経験から、「成功者は自分の魅せ方を知っている」と気づき、パーソナルブランディングに興味を持つようになる。気持ちが沈んだときは、星野道夫さんの本や写真集を取り出しては読み、心を整えるのが長年の習慣。好きな言葉は「微笑む人が一番強い」。

第1章

残念な話し方から脱出したい！

あがってしまって、何を話したか覚えていません！

せんせい……はぁ～。

あら、どうしました？　「この世の終わり」みたいな暗～い顔をしちゃって。

実はこの前、大事な大事な会で、人前で話すことがあって……。もう、何を話したか覚えてないくらい、あがってしまったんです。

うんうん。

そうしたら、そのときの動画が、Ｗｅｂサイトにアップされちゃったんです……。

えっ、麻田美さんにアップして良いかどうかの確認もなしで？

もう大ショック。だって、目は泳いでいるし、早口だし、しかも、自分の声が気に入らない！

あ、ショックを受けたのはそっちの方？（笑）

もう、どうしたら良いんでしょう？

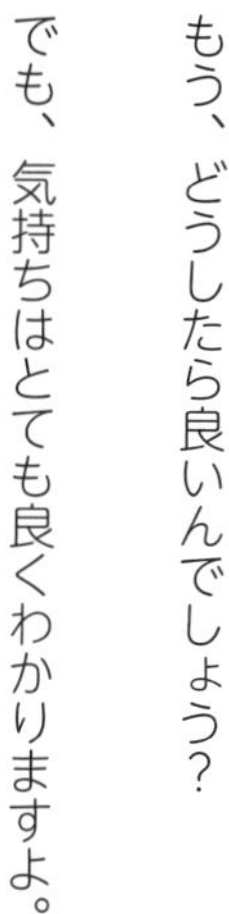

でも、気持ちはとても良くわかりますよ。

えっ、先生がですか？

私だって、未だに緊張することはありますよ。それに新人のとき、ラジオで流れた自分の声に、ものすごくショックを受けたこともありましたね。**「こんな声、放送で流すのは、絶対に許されない‼」**って。

え～っ!?　先生でも緊張されるんですか？　それに、アナウンサーになろうと思う時点で、ご自身の声が大好きじゃないと、その道には入れませんよね。

あらあら大好きって（苦笑）。緊張することは大分減りましたけどね。実は声はね、普段聞いている自分の声の何割かは骨伝導で伝わってくるんです。でも、録音されたものを聞くときは、すべて空気の振動として伝わってきます。だから、誰もが「**自分の声とは違う！**」って思うんですよね。それにね、〝自分大好きな人〟は、アナウンサーには向いてないんです。

ど、どうしてですか？

だって、聞いてくださっている方に、「私、うまいでしょう」って伝わるような感じでは、聞き手の心に種を落とせないでしょ。

心に種を落とす？

そう。聞いてくださった方に何を残すことができるかです。アナウンサー学校に通っているときにね、先生に教えてもらいました。「この仕事は人を甘えさせる仕事だから、勘違いしないで欲しい。自分が褒められたいなんて思って、マイクの前に立たないように」って。

甘えさせる、ってどういうことですか？

リスナーさんは、一方的に聞いてくださるだけなので、本当に甘えてくるわけではもちろんありませんよ。でも、「この人、頼りにできるな」「この人とだったら、話してみたいな」と、そんな風に思ってもらえないと、耳を傾け続けてもらえませんよね。

確かに。

自己承認欲求みたいなものはいったん捨てた方が、「情報」や「想い」は良く伝わるんです。コミュニケーションにおいて大事なことは、「このことを、伝えたい」「この人に、伝えたい」の2つ。「自分を、認めてほしい」が先に来るから、あがっちゃうんです。

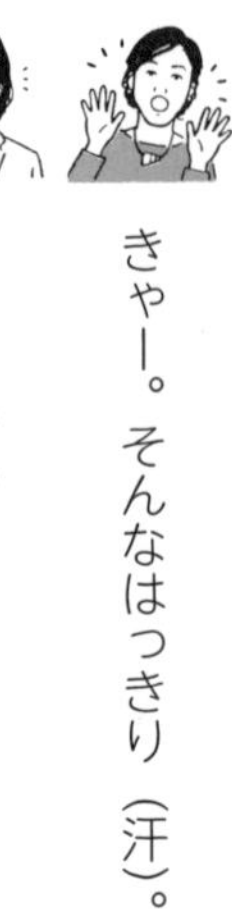

きゃー。そんなはっきり（汗）。

ふふっ（笑）。

でも私、人前で話すとき、確かに意識の矢印が自分に向いているかも。

聞いてくださる方に、そっと種を落とす、届ける、宿す。そんなつもりで話せるようになると良いですね。

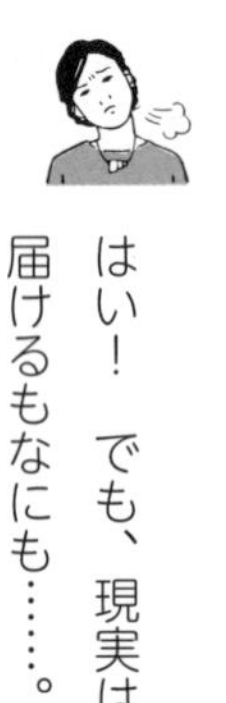

はい！　でも、現実はそこまでの道遠し。だって、しどろもどろになるようでは、種を届けるもなにも……。

準備段階の心得とは？早口にならないために

麻由美さんはそんなにあがるタイプには見えませんけどね（笑）。

うっ……なんだか傷つきます。

講演のときは、ちゃんと何を話すか準備はするんですよね。

もちろん、準備はします。

アナウンサーの世界では、「しっかりと構成を立てて、それを何度も口に出して練習し、そのうえで一度忘れろ」と言います。

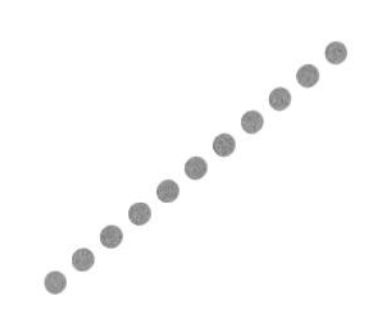

せっかく覚えたのに、忘れるんですか？

理想を言えば、丸暗記したことをそのまま口から出すのではなく、いったん忘れて、あたかも今、新たに自分が考えたように話す。そう言われています。

それくらい自分の中で消化して、ってことですか？

そうです。そうすると、説得力が生まれます。

なるほど。でも、難しい……。

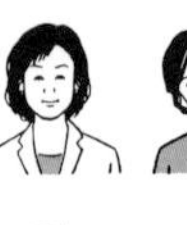

では、「作ってきたメモや、自分の頭の中の原稿を一字一句間違えずに伝える必要はない」と、割り切ってしまうっていうのはどうですか？

え？

立て板に水、っていう言葉があるでしょう。

スラスラと流暢に話すことですよね。

そう、よどみなくスラスラと。それから、まるで機関銃のように、ものすごく早口でたたみかけるような話し方をする人がいますよね。

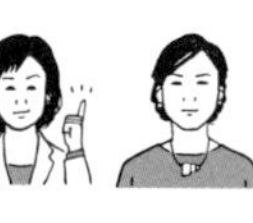

います。そういう人の話を聞くと、すごいなあって圧倒されます。

聞いてもらいたいというよりも、その場をパワフルに盛り上げて、気合いを入れたりするのに大変効果的ですよね。聞き手に反応する時間を与えず、一方的に情報を流し続けて、聞き手の心をコントロールする。ちょっと危険な使われ方をされることもあるテクニックです。

例えば、ＤａｉＧｏさんとか？　話し手にカリスマ性があると、ついつい引き込まれてしまいます。

でも、立て板に水や機関銃のような話し方で、話の内容が相手の心にきちんと残るかどうかは疑問です。講演する場合には、何よりも相手に伝わることが大事でしょう？　そのつもりはないのに早口になってしまう原因はいくつかあります。例えば、「忘れないうちにしゃべらなくちゃ」って場合もあるかもしれませんね。

私、そうかも……。不安になって、一人で脳のポケットから覚えたことをどんどん出して、お客様の前に並べずにはいられない感じです。

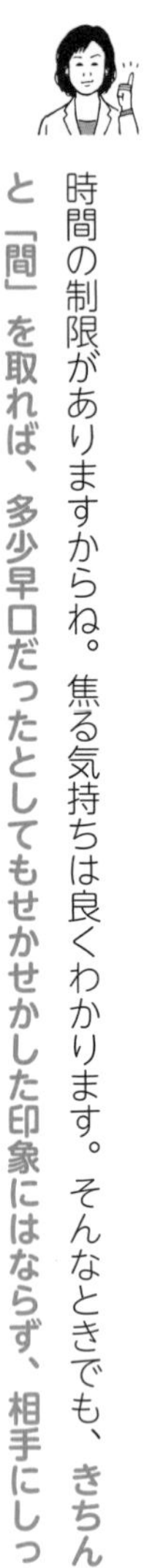

時間の制限がありますからね。焦る気持ちは良くわかります。そんなときでも、**きちんと「間」を取れば、多少早口だったとしてもせかせかした印象にはならず、相手にしっかり情報も伝わります。**

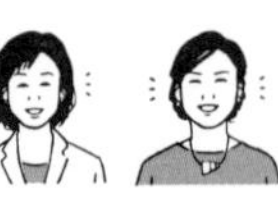

はい、先生。その抜群の「間」の取り方を、知りたいです!!

はいはい。慌てずゆっくりね。

ダラダラと話すのは、聞き手に対する親切心がないから

麻由美さんの話し方の悩みは、整理すると、「あがってしまって何を話したか覚えていない」「気が付くとものすごく早口になっていた」「ダラダラ説明してしまう」でしたね。あと、「自分の声が気になる」でしたっけ。

はい。

「ダラダラ説明しがち」というのも、多くの人が抱えている悩みですよね。これ、実は簡単に解消できるテクニックがあります。

どんな!?

最初に、テーマと話の流れを伝えるんです。具体例を挙げてみましょうか？

ぜひ、お願いします！

はい。まずは、ダラダラと話す例です。

「そろそろ夏なので、景色も良いし森林浴もできるし、山に行きたいと思っている人は多いと思うんですけど、夏の山は雷なんかも結構多くて私も怖い経験をしたことがあって、でも夏だと荷物も軽めで、高山植物がきれいなので注意して登れば結構楽しいし、いろいろ気をつけることはあるんですが……」

あのう…先生…。

夏山登山の話をダラダラとしてみました（笑）。聞いている人は、何の話が始まったのかと思いますよね。

思いました！

今度は、テーマと話の流れを最初に伝えて一文を短くするとこうなる、という例をやってみます。

「今日は、夏山に登るときの注意点と夏山ならではの魅力について、主にお話しします。まず、この季節の山の気候について。次に、装備について。そして最後には、夏山ならではの高山植物の魅力について。この順番でお話しします。では初めに、夏山の気候についてのお話です。夏山で怖いもののひとつが雷です……」

なるほど！　確かに、安心して聞けます‼

人前で話すときに、何よりも必要なのは、聞き手に対する「親切」なんです。

親切……？

そう、ちゃんと相手の心に届けたいから、どう伝えたら良いかを考える。それが人前で話すときの基本ですね。

先生、私だって考えないわけじゃないですよ！

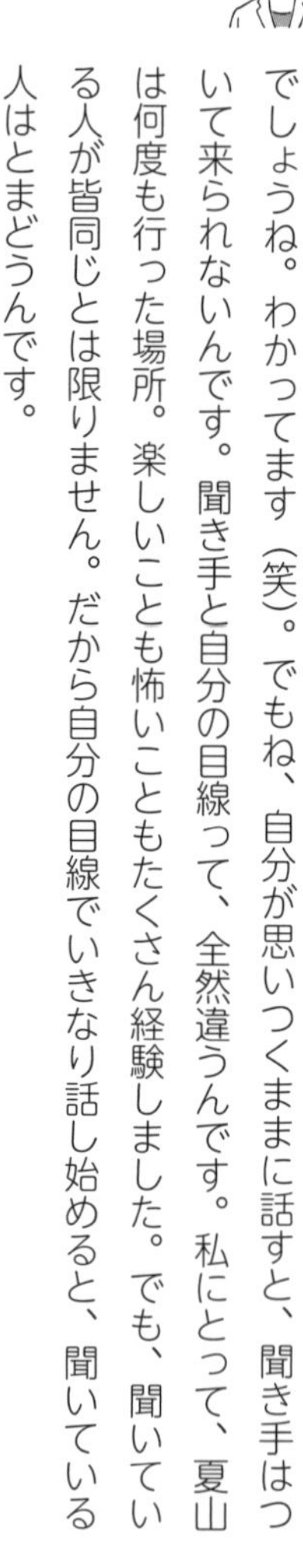

でしょうね。わかってます（笑）。でもね、自分が思いつくままに話すと、聞き手はついて来られないんです。聞き手と自分の目線って、全然違うんです。私にとって、夏山は何度も行った場所。楽しいことも怖いこともたくさん経験しました。でも、聞いている人が皆同じとは限りません。だから自分の目線でいきなり話し始めると、聞いている人はとまどうんです。

確かに。どう伝えたら「親切か」までは、私、考えていなかったかも。

親切というのは、「自分が一番伝えたいことを、聞き手目線で伝える」ということです。そのためにも、テーマはもちろん、結論や話の流れを早めに示しておくのは効果的なんです。

「聞き手目線」ですか？

聞き手は、これから話すテーマについて、詳しく知らない場合も多いですよね。だから最初に全体像をある程度伝えておくんです。すると、聞き手はゴールがわかっているから安心して聞くことができるでしょ。

なるほど。

そのうえで、話の途中でも、ときどき「今お話ししたのは○○についてでした。次は○○についてです」と、話の道筋を示してあげると、さらに親切になります。つまり、自分が講演者と司会者の、一人二役をやっているような感じですね。司会者が入ると話の流れがわかりやすくなるでしょ？　それにね……（微笑）。

？

要所要所でテーマをおさえておけば、話が多少脱線しても、もたついても、聞き手は気にならないものです（笑）

お～。確かにそうかも！

第1章
まとめ

❶丸暗記したことにこだわらない。できれば、いったん忘れる。そして、今、新たに自分が考えたように話すのが理想。

❷一気にしゃべらず、「間」をあける。

❸最初に「テーマ」「結論」「話の流れ」を示しておくと、聞き手は安心する。

彩子先生の脱話し下手コラム 1

誰でもあがります。私もあがります。

ここ一番のスピーチ、大切な面接、何百人という聴衆の前で話すとき、そんな場面では誰でも必ずあがります。私もあがります。**絶対にあがらなくなるような、便利な裏ワザやおまじないは残念ながらありません。**ですから、多少緊張するのは当然だと、居直ってしまいましょう。

経験豊富な大ベテランでも緊張する

もうずっと前に、番組本番に臨む超ベテランの人気アナウンサーに心拍計や血圧計を付けて、あがるかどうか実験するというテレビ番組がありました。とてもあがりそうには見えない方でしたが、本番が近づくにつれて緊張が高まっていくことがわかりました。その番組の結論も、「誰でもあがる」でした。

本番どころか、私は新人時代にスタジオに入っただけで緊張して、先輩の番組を台なしにしてしまったことがあります。先輩アナウンサーの番組収録の様子を、スタジオの外から見学していたある日のことです。先輩が私に「スタジオの中に入って良いよ」と声をかけてくれました。さらに先輩はマイクの前に私に座らせ、「番組クレジット、録音してみて」とも言いました。番組クレジットというのは、収録テープの一番初めに、放送日時や番組名を録音しておくものです。例えば、「○月○日×時×分から放送する＊＊のテープです」という具合です。その部分が実際に放送されることはありませんが、社内でテープをチェックするときに最初に聞かれるのが、クレジットです。

急にマイクの前でしゃべることになりすっかり舞い上がった私は、「し、し、4月…えーと、じゅう…15日…?」と、しどろもどろに……。当然クレジットは録り直しです。デビューする前に番組を止めるという、あまり例のない失敗を私はしてしまったのです。

良い緊張感が、良い結果を招くこともある

それから、こんなこともありました。放送局を退職してフリーになって間もない頃、私はある番組のオーディションを受けました。一通りの原稿読みが終わったあと、制作側から私に、いくつかの質問がありました。例えば、「この番組を視聴者としてどう見ている

か？」「アナウンサーとしてどんな経験をしたか？」などなど。どれも予想のつく質問でしたので、スムーズに答えることができました。

するとと突然、プロデューサーらしき男性が「このオーディションにもし落ちたらどうしますか？」と、私に聞いてきたのです。そろそろ質問も終わりかとリラックスしかけていた私の緊張が、その質問で一気に高まりました。が、何とか答えなければなりません。私はとっさに「次回のオーディションにまた来ますので、よろしくお願いします！」と頭を下げました。スタジオのガラス窓の向こうで、番組スタッフがどっと笑っているのがわかりました。私は冷や汗が出る思いでスタジオをあとにしましたが、なぜかそのオーディションに合格しました。後から聞いた話によると、そのときの私の反応が、とても面白かったのだそうです。とっさにあんなことが言えるのは、きっと度胸があるからだろうと誤解したスタッフさえいたようです。

今、私は大学でスピーチの授業なども担当していますが、ほとんどの学生が「人前で話すと緊張する」と言います。しかしスピーチを聞く側にまわると、ほとんどの学生が「話し手が緊張しているようには思えなかった」と言います。**誰もが緊張します。でも、自分の緊張は、他人にはわからないものなのです。**

そして、ほど良い緊張感が、良い結果を招くことがあります。緊張を逆手にとってネタにすることもできます。逆に、リラックスし過ぎると失敗することだってあります。ですから、あがるのはそんなに悪いことでもないのです。

ただし、緊張が引き金になって、さらに慌てるという悪循環は避けたいもの。そのためにどうするか……。**対策は「入念に準備すること」。そして「普段から話す力を磨き、余力を蓄えておくこと」。この二つだけです。**便利な裏ワザやおまじないはありませんが、地道な努力をすれば、あがったことを味方にして、プラスの方向にもっていくことはできます。

第2章

どんな風に、どう話せば、ちゃんと伝わりますか？

先日、グループディスカッションをする機会がありました。私が懸命に話せば話すほど話が一方通行になってしまって……。活発な意見交換とはほど遠く、といった具合でした。先生、何がいけなかったのでしょうか？　どんな風に、どう話せば、ちゃんと伝わるのでしょうか？

まずは、良く聞くことです！

話を聞いてもらうためには、実は「聞く」ことの方が大事

合コンでモテる人は、誰よりもたくさん話す人ではない。そんな話を聞いたことはありませんか？

え？

合コンに限った話ではありませんが、自分の話ばっかりする人っていますよね。そんな人の話って、聞いていて辟易しますよね？

します、します。

たとえ面白い話であっても、一方的にまくし立てられると、周りの人はうんざりしてく

るものです。その反対に、たくさん話すわけではないのに、印象に残る人っていますよね。

います、います。

にこやかに話を聞き、良いタイミングであいづちを打ってくれて、質問をして場をそっと盛り上げてくれる人。

確かに、そういう人ってモテますよね。

例えば、そんな人が、ごくたまに悩みを打ち明けたりしたら？

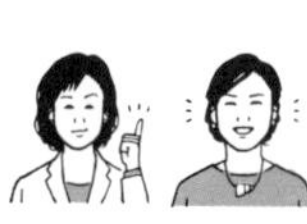

親身になって、聞こうとするかも……。

ですよね。ここがポイントです。**自分の話を聞いてもらうためには、相手の話を良く「聞く」ことが何よりも大切**なのです。

「話す」よりも、「聞く」のが大切？

そうなんです。相手の話を良く「聞く」ことが、良いコミュニケーションにつながります。とはいっても、「聞く」というのは、そう簡単なことではありません。

どういうことですか？

人の話を聞いているようで、実は聞いていない、という場面があちらこちらであるでしょ。例えば、ある美術館で50代ぐらいの女性たちのグループがこんなおしゃべりをしていました。

「この彫刻と同じ作品が、○○県の美術館にもあるのよ」
「○○県といえば、この前、△△さんが行ったところね」
「△△さんのご主人、定年退職されたんですってね」
「実は、うちの夫も来年退職なんだけど、年金が……」

あるある（笑）。なんだか、連想ゲームみたい。

そう。それぞれ自分の連想に忠実に、思いつくまま話しています。会話としては全く成立していません（笑）。でも、それぞれ話してスッキリすることが目的なら、これで良いのかもしれないですけど。

自分の話を聞いてほしい、っていうだけになってますね。

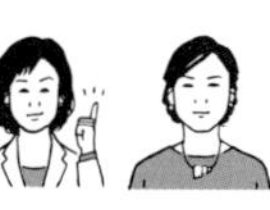

優秀な営業マンは、この逆です。

あっ、車の説明がうまい人より、お客様の話を良く聞く人の方が成績が良いって聞いたことがあります。

はい。優秀な営業マンは、お客様の話を聞きながらさりげなくニーズを引き出しています。車ならどんな乗り方をするのか、何人家族なのか、予算はどれくらいなのかを聞いたうえで、適切な車をすすめます。

なるほど。**会話のヒントは、相手の話の中にある**ってことですね。

お互いに相手の話を受けて、そこから話題が展開すれば、豊かで楽しい時間が過ごせるはずです。例えば、前に例をあげた美術館の女性グループなら、「○○県の美術館」について、誰と行ったのか、どんな美術館なのかを聞けば、そこから話題が広がったのではないでしょうか。

そのためには、相手の話をちゃんと聞かないといけませんね。

そう。多くの人が自分の話を聞いてほしいと思っています。でも、一方的な話は、相手の心に染み込んでいきません。**「聞く」という態度こそが、自分の話をしっかり伝えるために必要なこと**なのです。

話の「すき間」が、次のアクションの「種」になる

そもそも「話す」ときは、相手に伝えたい何かがあるわけですよね。

はい。

伝えて、そして何かが相手の中に残ってはじめて、次のアクションの種になります。

アクションの種、ですか？

相手の行動や考えに、何らかの反応を引き起こす種。そんな感じですね。その影響が今日明日に出ることもあれば、長い時間を経て、ふとよみがえる場合もあります。

それが、最初におっしゃっていた「種を落とす」ですね。種をまいて、それがいつか芽吹く。良いですね。でも、相手の心にちゃんと宿すという作業は簡単じゃないです。

聞いた人が共感したり、なるほどと思ったり、やってみようと思ったり、あるいは反論でも、どんな小さなことでも良いんです。何かが相手の心に引っかかる、それが「宿す」ということです。**意識しておきたいのは、自分が話してそれで終わりじゃないということ。そのために、相手が話に入ってこられるように、話に「すき間」を作っておく**のがコツです。

すき間、ですか？

すき間というのは、言葉と言葉のあいだの「間（ま）」のこともあります。それから、「私はこう考えていますが、あなたはどうですか？」という問いかけの場合もあります。講演や放送のように一方的に話すときでも、聞き手の反応がなければ、話す意味がありませんよね。

双方向のキャッチボール？

そうです。「間」を取ったり、問いかけたりで、聞き手との間に、コミュニケーションが成立するんです。投げかけたり、受け止めたりするお互いの行為には時間が必要でしょ。その時間が、会話を活かす「間」となります。

待つと返ってくる！

話して、問いかけることで、聞き手の心に波紋を起こす。それが次のアクションの種につながっていきます。漫才ではボケが面白いことを言ったときにはツッコミが反応します。そのツッコミに対して、ボケがまた返していく。そのやりとりで面白い漫才が成立するわけです。会話のときには、相手にどんどんつっこんでもらいましょう。**自分の話でその場をひとり占めしないようにね。**

そう言えば、話し好きの人って、その場をひとり占めにしますが自覚がない……。

ええ。ひとり占めされると、聞いている人は楽しくありません。カラオケでマイクをひとり占めされたようなものです（笑）。

それはイヤです!!

ちゃんと「間」を取るためには、ひとつひとつの文を短くするのがコツです。文の切れ目、つまり「。」のところが、聞き手にとって、つっこみどころになるんです。その「間」で、聞き手とのコミュニケーションが成立します。会話だけでなく、講演やプレゼンなど、一人で話すときには、「間」がさらに効果を発揮します。「間」はとても大切ですから、これから何度も「間」の話が出てきますよ。

はーい。

オープンマインドがつくる風通しの良いコミュニケーション

でも、そもそも、聞いてくださっている方の反応が感じられないときは、不安でそれどころじゃなくなります。

そういうときはね、「今の、わかりにくかったですか？」って、声を掛けちゃうのもありですよ。「もう一度、説明しますね」って。

うわ〜。ハードル高そう。

自分がわかっていることを話すときは、大事な点を飛ばしがちになって、人には伝わらないことも多いんです。だから、謝って言い直すっていうのもＯＫ。大事なのはオープンマインドです。

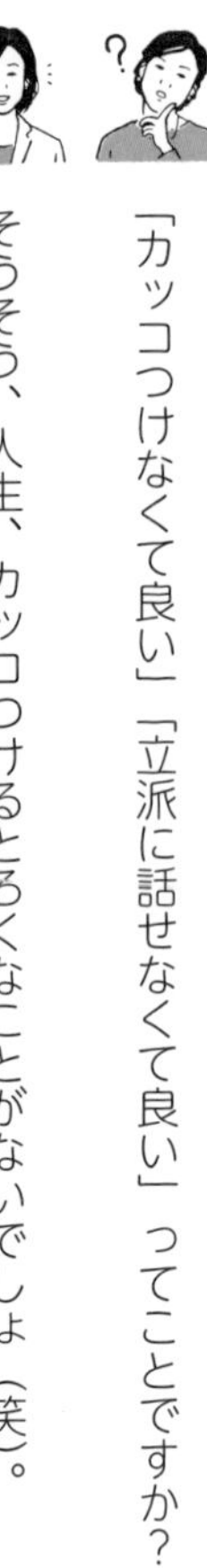

「カッコつけなくて良い」「立派に話せなくて良い」ってことですか？

そうそう、人生、カッコつけるとろくなことがないでしょ（笑）。

でも、講師やプレゼンをするときぐらい、カッコつけたいじゃないですか！

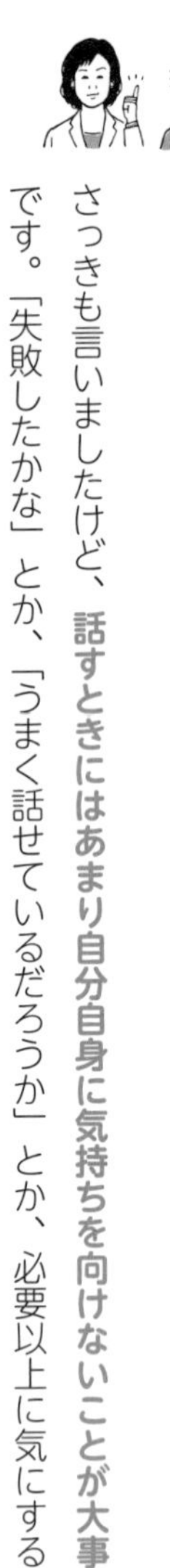

さっきも言いましたけど、**話すときにはあまり自分自身に気持ちを向けないことが大事**です。「失敗したかな」とか、「うまく話せているだろうか」とか、必要以上に気にすると笑顔も消えていきますし、たちまち聞き手の心も離れていきます。人前に立ったら、捨て身で居直っちゃってください。

スティーブ・ジョブズは捨て身って感じがしないですよ。

あのね……。ジョブズは準備して、準備して、練習して、完璧に覚えて、いったん忘れて、本番は捨て身でステージに立っていたと思いますよ。本当に自分のものになっている話は、説得力があるんです。

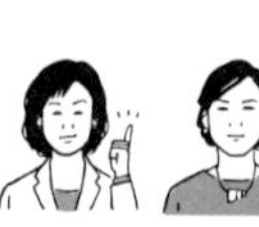

確かにジョブズは、自分の言葉で話してるって感じがします。

自分の言葉で話すのに、カッコつける必要はないでしょ？　話し手の心意気というのは必ず相手に伝わります。そして会話は、話し手と聞き手で、その「とき」と「場」を共有することで成立します。まずは、**自分が多少恥をかいたとしても、内容が伝われば良いんです。**その方が大事でしょう？

確かに。でも本音を言うと滝川クリステルさんみたいになりたいけど。

あらら。またそっちにいく（笑）。

あんな風にスマートに話したい！

本当のスマートさというのは、話し手と聞き手の間に、気持ちの良い風が行き交うってことです。

私、心地良い風、というより、どちらかというと、必死で聞き手に向けて一方的に団扇であおいでたかも（汗）。

話のテーマは必ずしも楽しいものばかりとは限りませんが、それでも気持ちの深いところでは、聞き手と楽しみたいですよね。**「自分が楽しい」、そして「聞き手はもっと楽しい」。これが話すことの醍醐味、スピーチの極意**だと私は思います。

聞き手はもっと楽しい、ですか。良いですね！

そのためにも、余計な自意識を捨てること。オープンマインドで、気持ちの良い「とき」と「場」を作るつもりでね。

無言の聞き手も、あなたと「対話」している

ちょっと反対の立場で考えてみましょうか？

聞き手の立場になる、ってことですね。

例えば、講演会に行ったとします。講師がステージ上で一方的に話しているようでも、聞き手は心の中でいろいろと反応しているはずです。「なるほど！」「へえ～」「そうかなあ……」とかって。

はい。声には出しませんけど、いろいろ思ってます。

ですよね。例えば、テレビを見ていて、日頃から気になっていた芸能人が出てきたとし

ます。そんなとき、心の中でどんな反応をしますか？

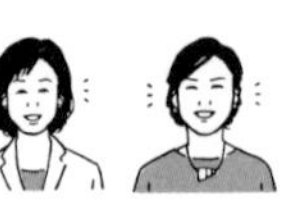

あっ！　桃李くんだ！

まぁ、具体的にありがとう（笑）。その桃李さんが、例えば、「今度、舞台がありまして……」と言うと、麻由美さん、心の中で何か言うでしょ。

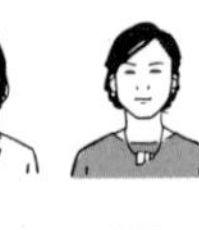

「いついつ？」「何？　どこで？」とかって。

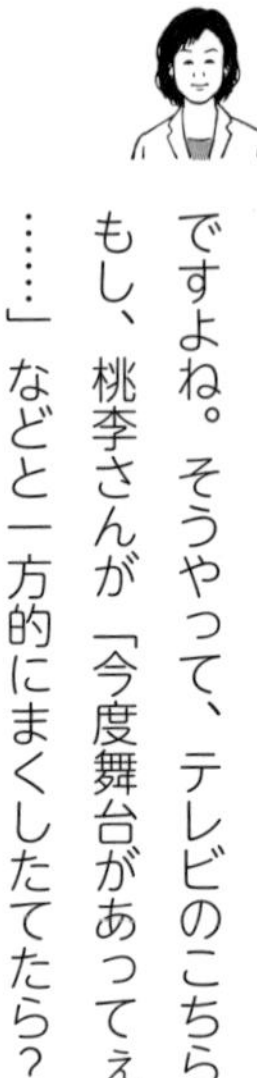

ですよね。そうやって、テレビのこちら側とあちら側で対話が生まれているわけです。もし、桃李さんが「今度舞台があってぇ、×月×日なんですけどぉ、会場は〇〇劇場で……」などと一方的にまくしたてたら？

ただ、流れていくだけ、かも。

聞き手を無視して、一方的に自分の言いたいことを言うのでは、聞き手は反応もできな

いですし、メモもとれません。だから、**聞き手の反応が実際に見られない場合でも、聞き手の存在、呼吸みたいなものを感じながら話すことが大切**なんです。

先生がラジオで話されるとき、聞き手の反応は見えませんよね？　そういうときはどうされているんですか？

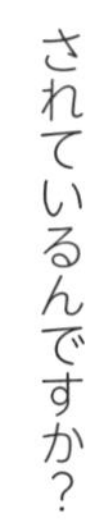

具体的なだれかを一人想定して、その方に話しかけるようにしています。

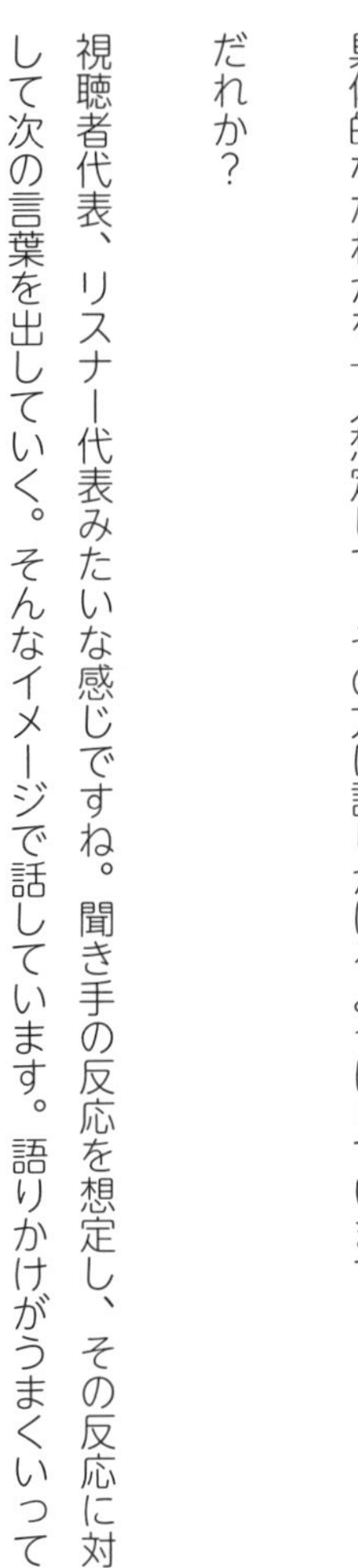

だれか？

視聴者代表、リスナー代表みたいな感じですね。聞き手の反応を想定し、その反応に対して次の言葉を出していく。そんなイメージで話しています。語りかけがうまくいっているときには、自然な「発声」「イントネーション」「リズム」で話すことができます。**無言で聞いている相手も、「対話」を望んでいるんです。**

それって、どういうことですか？

桃李さんをテレビで見て、思わず反応する麻田美さんのように、聞き手も話に参加したいんです。

なるほど！

では、ひとつ実験をしてみましょう。麻田美さん、私にどんな趣味があるか質問してみてください。同じ内容を、2つのパターンで答えてみます。

先生の趣味は何ですか？

私は小学校時代に合唱団に入っていて、クラシックばかり歌っていたんですが、中学生のとき、たまたまラジオから流れてくるポップスを聞いたら、「こんなに楽しい音楽があるんだ！」って嬉しくなり、それからずっとポップスを聞くのが好きです。

……は、はい、そうですか。なんだか圧倒されますね。

ですよね。

どこであいづちを打ったら良いかわかりませんでした。

次は、違うパターンでいきましょう。

では、いきます。趣味は何ですか？

音楽、特にポップスを聞くのが趣味です。

ちょっと意外です。

実は小学校時代は合唱団でクラシックばかり歌っていました。

へえ。

ですが、中学生のときにたまたまラジオから流れてくるポップスを聞いたら、「こんなに楽しい音楽があるんだ」って、嬉しくなったんです。

なるほど。

それからずっと、ポップスを聞くようになりました。

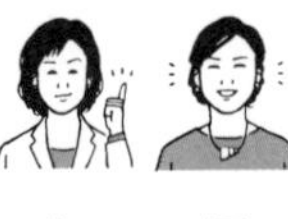

ほーそれでそれで？

……どうです？

あっ！　いつの間にやら、私が質問してました。会話に参加したっていう、実感があります！

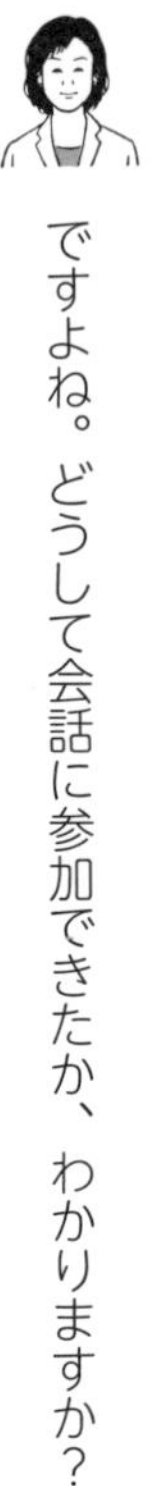

ですよね。どうして会話に参加できたか、わかりますか？

聞き手の声が聞こえていなくても、会話をしている気持ちで話してみる

before

私は小学校時代に合唱団に入っていて、クラシックばかり歌っていたんですが、中学生のとき、たまたまラジオから流れてくるポップスを聞いたら、「こんなに楽しい音楽があるんだ!」って嬉しくなり、それからずっとポップスを聞くのが好きです。

……は、はい、そうですか。

音楽、特にポップスを聞くのが趣味です。

ちょっと意外です。

実は小学校時代は合唱団でクラシックばかり歌っていました。

ですが、中学生のときにたまたまラジオから流れてくるポップスを聞いたら、「こんなに楽しい音楽があるんだ」って、嬉しくなったんです。

なるほど。

それからずっと、ポップスを聞くようになりました。

ほーそれでそれで?

一方的に話す場面でも相手がいるつもりで話そう!

先生が「間」を取られたからです。そして、もっと質問したくなりました。「どんなミュージシャンが好きですか？」とか。

でしょ。最初のパターンだと、会話はもちろん、講演や放送でも、聞き手の気持ちがついていけません。一方的に人の話を聞くだけっていうのは、あんまり楽しくないものなんです。学生時代のつまらない講義って、大体そのパターンでしたよね（笑）。あとの例のように、聞き手の声が実際に聞こえてこなくても、会話をしている気持ちで語れば、内容が伝わるんです。

文と文の間にできた「すき間」のおかげで、私も先生と対話できました。なんだか満足感ありです！

目に見えるように話す、書くように話す

「目に見えるように話すと伝わりやすい」って、聞いたことがあるんですが。

はい。例えば、ここのオフィスについて、レポートしてみましょうか。

お願いします！

いきますね。

「東京港区の、とあるオフィスにやってきました。ＪＲ○○駅から徒歩数分、国道15号・通称第一京浜から一本奥に入った通り沿いに、このオフィスはあります。マンションの一

室です。近くには、公園やしゃれたレストランなどが並んでいます。この部屋の広さは、××平方メートルほどでしょうか。窓の外を新幹線が走るのが見えます。無彩色のインテリアでまとめられ、とてもスッキリした部屋ですが、決して冷たい感じはしません。大きな鉢植えの植物や、テーブルの上の丸みのある黄色のマグカップのお陰で、温かい感じがします。そのカップを手に、私の向かい側で髪の長い女性がしきりにうなずいてくれています。この女性が、私の対談相手の稲垣麻由美さんです」

うわー圧巻。まさに実況中継。

聞いている人に、まず俯瞰で見た客観的な情報を伝え、それからだんだん視点を近づけていって、主観的な情報へと移っていくとこうなります。これって、例えば新聞記事とか、小説の冒頭で語られることと同じですよね。テレビや映画のカメラが、だんだんズーム・インしていくような感じです。

なるほど。

逆に、いきなり目の前の状況から語り始め、だんだん視点を拡げていく方法もあります。

例えば、どんな風にですか？

やってみましょうか？

「黄色のマグカップを手にした女性が、私の向かいに座り、しきりにうなずいています。実は今、私は麻由美さんと対談しているところです。ここは、麻由美さんのオフィスです。部屋には………」

おお〜。

と、こんな風に、テレビカメラが、まず麻由美さんをアップで映して、それからだんだんにズーム・アウトしていくように描写するのです。**「客観情報」と「描写」の両輪で**

伝えること。これも、言ってみれば「聞き手目線」ですよね。私に見えているものを、ここにいない人にも見えるように話すということです。

これ、かなり高度です。

ポイントは、**「自分で良くわかっていることを相手も知っている」という前提で話さないこと。**もう少し簡単な例で話すと、「私の部屋はわりと広い」と言っても、「広い」というのは、10畳なのか、30畳なのか、あるいは学生さんの一人暮らしなら、6畳でも広いと言えるかもしれませんよね。

ちゃんと数字も入れて、具体的な情報を入れるとより伝わりますよね。

そう。客観情報ですね。

文章の世界では「話すように書け」なんて良く言われます。

逆に「書くように話せ」とも言えると思いますよ。

？

そのまま文章にできるくらい的確な言葉で、順序立てて、しかも生き生きと話せたらすばらしいと思います。仕事で私が出会った作家や作詞家の中に、それができる方がたくさんいらっしゃいました。

例えば、どんな方が強く印象に残っておられますか？

今の若い人はご存知ないかもしれませんが、作詞家の阿久悠さんが番組に出演してくださったことがあります。そのときに伺った、故郷の淡路島から上京してくるときのエピソードは忘れられません。１９５０年代、東京の大学に入学するため、阿久さんは故郷の淡路島から、まず船で本州に渡ることになります。勇む気持ちと不安な気持ちが交錯する中、青年だった阿久さんは船の上で、「テネシー・ワルツ」を歌い続けていたそうです。船の下で砕ける波。遠ざかる島と近付いてくる本州の景色……。それを眺めながら歌い

続ける青年。聞いている私にも、多分リスナーにも、そのときの情景や気持ちが伝わりました。このエピソードは、後にご本人の本にも書かれました。

さすが、言葉のプロフェッショナル。普段からきちんと言葉と向き合っておられるからでしょうね。

そういう方が、決して立て板に水とは言えない話し方で伝えてくださると、むしろ、ずしんと心に響きました。何年経っても阿久悠さんの声の響きまで思い出します。きっと私の中で、種が芽吹いたんですね。

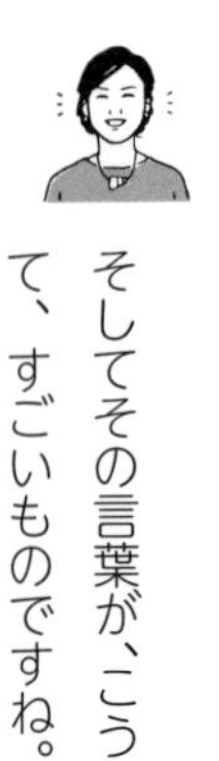

そしてその言葉が、こうやってまた次の人に伝わっていく……。やっぱり言葉って、声って、すごいものですね。

第2章

まとめ

❶多くの人が自分の話を聞いてほしいと思っている。会話のヒントは、相手の中にある。

❷相手が話に入ってこられるように話に「すき間」を作っておくと、コミュニケーションが生まれる。そのために一文は短く。

❸自分が多少恥をかいたとしても、内容が伝われば良いと思うこと。オープンマインドが聞き手に言葉と気持ちを届ける。

❹聞き手の反応や顔が見えないときも、相手の呼吸・存在を感じつつ話す。

❺自分で良くわかっていることを、相手も知っている、という前提で話さない。すらすら話せても、伝わらなければ意味がない。

彩子先生の脱話し下手コラム 2

気分の良い会話の決め手は、あいづち

放送の仕事では、「どうしたらゲストに気分良く話してもらえるか」「どうしたらその話を視聴者に楽しんで頂けるか」をいつも考えています。そして、たどり着いた答えが、「**気分の良い会話の決め手は、あいづち**」だということです。

テレビとラジオでうなずき方を変える

「はい」「そうですね」「なるほど」「へ〜」「えっ？」など、あいづちにはいろいろなバリエーションがあります。「はい」ひとつをとっても、ちょっとトーンを変えるだけで、いろいろな表情が出ます。また、黙ってうなずくのもあいづちです。

私はテレビとラジオで、あいづちの打ち方を少し変えます。テレビでは、黙ってうなずくことが多いのですが、その理由は声に出さなくても、私がちゃんと聞いていることや、相手の話に興味を持っていることが、視聴者にもわかるからです。声に出さずにうなずいた方が話の邪魔にもなりませんし、うなずくときの表情や動きだけでも、さまざまなニュアンスを伝えることができます。

一方のラジオでは、声に出してあいづちを打ちます。私が黙っていると、私がそこにいることも、私が興味を持って聞いていることも、リスナーには伝わらないからです。

ただし、あいづちが相手の声と重ならないように気をつけます。相手と私の声を重ねてしまうと、うるさく聞こえることがあるからです。また、録音番組で編集が必要になった場合、声が重なった部分はカットができません。ですから、私の声が番組編集の邪魔にならないよう、相手の話のきりの良いところで、声に出してあいづちを打ちます。相手の話のすき間を、私のあいづちで埋めるような感じです。ちょっとコツがいるのですが、**相手の呼吸に合わせるように聞き、一緒に会話を楽しんでいると、タイミングの良いあいづちになります。**

あいづち上手は、話し上手

テレビとラジオのあいづちは、普段の生活にも応用できます。黙ってうなずくテレビ型は対面で話すときに使えますし、声に出してうなずくラジオ型は電話などお互いが見えないときに便利です。

ところで、私が番組の邪魔にならないように工夫しているのとはまったく逆の技術を使って、あいづちで存在感を示している出演者もいます。バラエティー番組のひな壇に並んでいる芸人さんたちです。自分の出演場面がカットされないよう、わざとメインの発言者に声を重ねてあいづちを打つことがあるそうです。ひとつの芸として見れば、それはそれで面白いものです。

どんな場合でも大切なのは、ちゃんと話を聞いてあいづちを打つということです。調子良くうわべだけのあいづちを打つと、薄っぺらい印象になります。ろくに話を聞きもしないで、「そうですね〜」などといい加減なあいづちを打っていると、すぐにバレます。

あいづちを打つときに大切なのは、相手に寄り添う気持ち。それから、豊かな知識や好奇心です。

あるディレクターは、「アナウンサーに最も必要なのは、どんな話題にも興味を持って聞く力」だと言いました。これは気分の良い会話のコツに通じますね！

そのために大きな効果を発揮するのが、あいづちです。**あいづち上手は聞き上手。聞き上手は話し上手。だから、「あいづち上手は、話し上手」なのです。**

第3章

届く声の磨き方、私にもできる方法を教えてください！

想いを届ける心構えは、だんだんわかってきました。とはいえ、話すための基本的な技術やコツをちゃんと身につけてこそ、耳を傾けてもらえるもの。先生、いよいよ具体的なレッスン、お願いします！

好きな声、イイ声に、私もなれますか？

先生、ところで自分の声って、変えられますか？

最初にも触れましたが、自分の声は、空気中に出た音と、自分の骨を伝わって響く音がミックスされて聞こえているんです。でも、他人に伝わるのは、空気中に出た音だけですよね？　だから、録音した自分の声を聞いたりすると、まるで違う声のように感じてしまいます。麻由美さんが「変な声」って感じたのも、当然といえば当然なんですが、他人が聞いている声こそ、「麻由美さんの声」なんですよ。

あー。ますますイヤだなぁ。声質というのは変えられるのでしょうか？　例えば、綾瀬はるかさんのような声になりたい、とか。

できません!!

そんなに強く断言しなくても……。

真似て声を作ることはできなくないですけれど、それは結局、作り声・嘘の声・借り物なので、聞き手にとっては説得力がないものになります。

残念。……はるかさんの声になれるとモテるかと（汗）。

麻由美さんの声、私は変な声だとは思いませんけれどねぇ。どういうところが、イヤなんですか？

濁ってる、というか、甘えん坊のように聞こえるのがイヤです。

甘えん坊のように聞こえるのは、滑舌の問題かな。あと、腹式呼吸。あとでみっちりレッスンしましょうね。

はい。お願いします！

それとね、美しい声より、むしろちょっとダミ声の人の言葉が心に残ることもあるでしょ……。

あ〜確かに。究極の癒し声の森本レオさんより、所ジョージさんの方が何を話されたか記憶としては残りやすい、みたいな感じですか⁉

所さんがダミ声かというと、また違うんですけど……。

し、失礼しました……。田中角栄さんって言えばよかったかしら。

要は、「聞いた人を魅了するような、きれいな声で話す」ということが、必ずしもすばらしいとは限らないってことです。新人の頃、「自分の声に酔うな」と良く言われました。**話の内容よりも、原稿を読んでる個人が前に出て、声の印象だけが強く残るのは失敗**なんです。

「良い声だなあ」と思ってもらうことが、話の目的ではないってことですか？

そうです。声は良いに越したことはないけれど、声をほめてもらうために話すわけではないでしょ。伝えたいのは話の中身。その中身を運ぶのが声なのです。

確かに。

ところで麻由美さん、自分の顔は大好きですか？

NO‼　もっと美人に生まれたかったです‼

えらく力入ってますね（笑）。ほとんどの人が、自分の外見とそれなりに折り合って表情や髪形や、女性ならメイクを工夫したりして、感じ良く見える努力をしていますよね。声も同じです。

？

自分が持っている**声を変えるのではなく、声を磨くことなら、いくらでもできます。**

それって、どういうことですか？

ちょっとハスキーな声の人が個性を活かしながら聞きやすい声にするとか、キンキン声の人がもう少しまろやかな声にするとか、そういうことはできるということです。

聞きやすい声にはなれるんですね！

そうです。

少し安心しました。

では、具体的なトレーニングをしていきましょう。

腹式呼吸が大事って言われても、良くわからないんです

先生、そのお声は、もともとそんなに柔らかく通る声でいらしたのですか？

いえいえ、ずいぶん発声練習をしましたよ。腹式呼吸から始まって、「あ〜」って声を出し、「アエイウエオアオ」とか、一語一語をはっきり聞きやすくする「呼吸・発声・滑舌」、このワンセットを、アナウンサー学校時代に、そして放送局の新人時代は30分早く会社に行って、毎日空きスタジオで練習しました。麻由美さんも1週間に1〜2度でも腹式呼吸を意識して、「あ〜」ってお風呂の中で歌うように声を出すとか、ちょっとやるだけでも変わりますよ。

いやいや、腹式呼吸が大事って良く言われますが、そのやり方がわからないんです。お腹から声を出すってことですか？

実際は「お腹から声を出す」というよりも、腹筋を使って話すって感じですね。さらに正確に言うと、**横隔膜を上手に使って深い呼吸をするのが腹式呼吸**なんです。

うーん、わかりません！

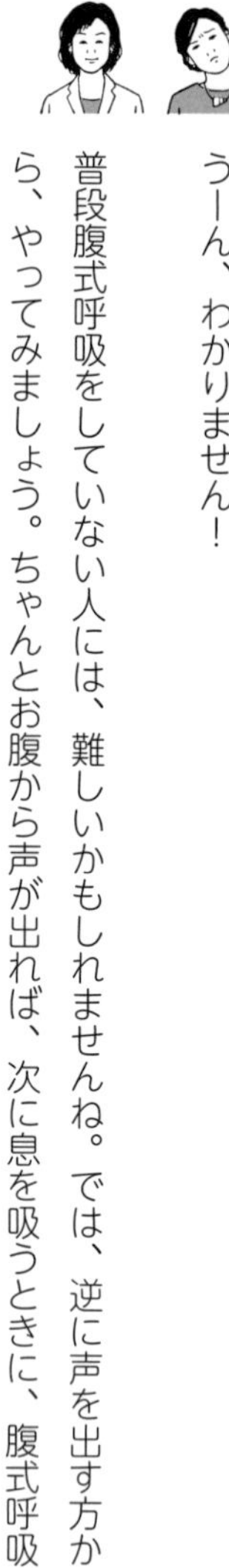

普段腹式呼吸をしていない人には、難しいかもしれませんね。では、逆に声を出す方から、やってみましょう。ちゃんとお腹から声が出れば、次に息を吸うときに、腹式呼吸ができますすよ。まず、おへその下の丹田と言われるあたりに片手をあてて、ぐっと押しながら、「こんにちは」って言ってみてください。

「こんにちは」……えっと、お腹を押すって、どういうことですか？

「こんにちは」の「こ」って言ったときに、お腹をぐっと押してください。

お腹を凹ませたりポコンと膨らませたりする感じですか？

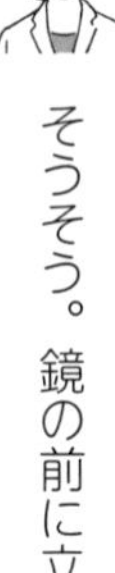
そうそう。鏡の前に立ってみましょうか。

お腹に手を当てて……。（お腹をグイッと押して）「**こんにちは！**」

あっ、今、腹式呼吸で声が出ましたよ！

本当ですか！

声がさらに3メートル先に届くように目標を決めて、そこに向けて、お腹を押して「こんにちは」って、もう一度言ってみて。

「**こんにちは!!**」

良い感じです！

自分でも違うのがわかります！　でも、押すって、お腹を押し続けるんですか？

第一声のときに、ぐっと押します。お腹を押して「こんにちは」で、凹みましたね。あとは自然で大丈夫。凹んだ後、苦しくなるので息をしますよね。すると毎回、肺の深いところまで空気が入るんです。

なるほど、深い呼吸が自然とできるようになるってことですね。

そうです。

それにしても、お腹を凹ませたり膨らませたりするのって、姿勢が良くないとできないものなんですね。自然と背筋が伸びてます!

ふんぞり返ってお腹が出ていたり、前屈みで猫背だったりすると、腹式呼吸は難しいんです。良いことずくめでしょ(笑)。

はい!

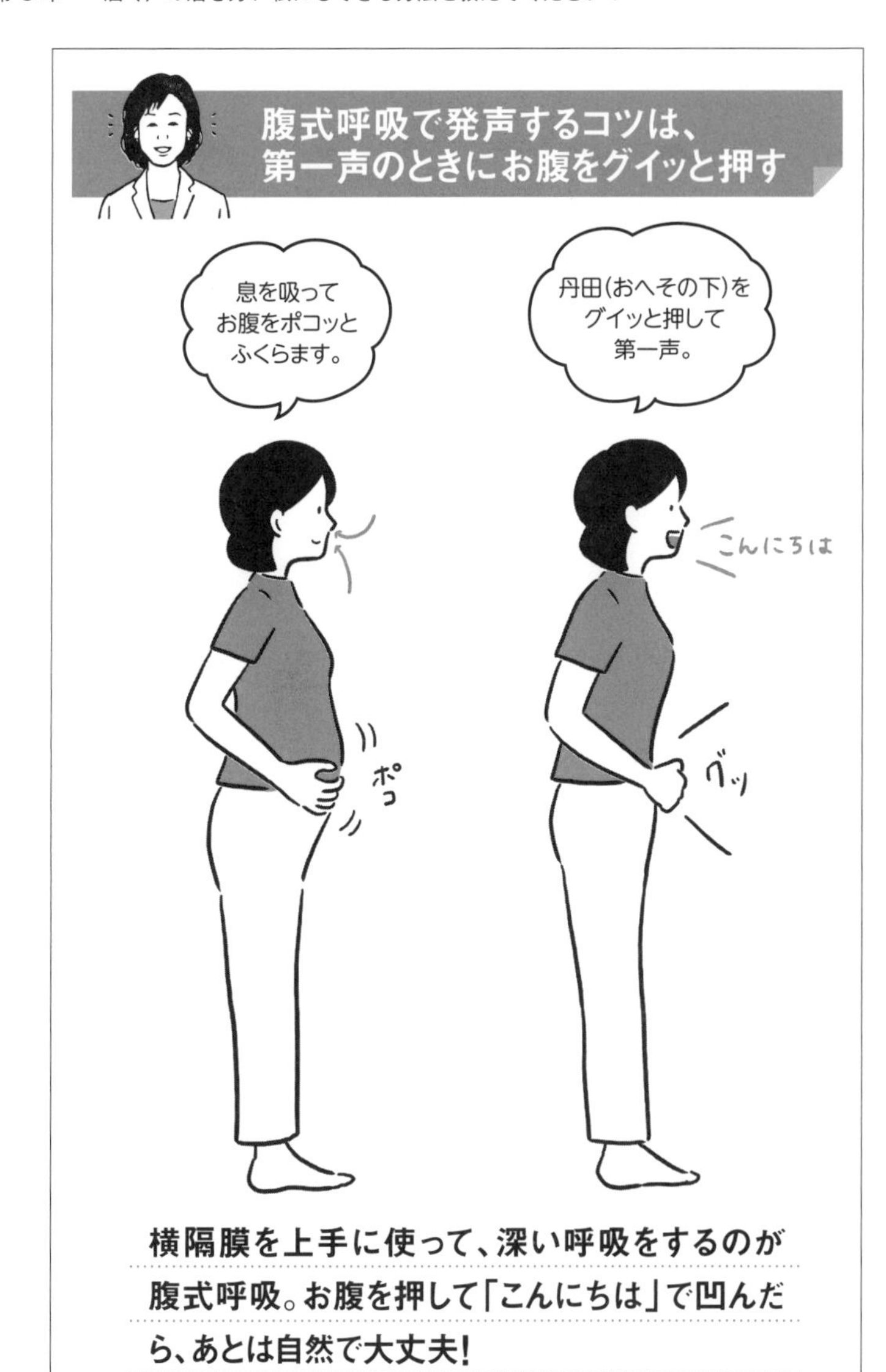

横隔膜を上手に使って、深い呼吸をするのが腹式呼吸。お腹を押して「こんにちは」で凹んだら、あとは自然で大丈夫！

ではもう一度、「こんにちは」と、おへその下の丹田と言われるところを押しながら言ってみましょう。

「こんにちは‼」……なんだか今、明瞭にしゃべっている気がします‼

さらにお腹を強く押して、遠くを見て、目標を定めて、そこに向かって放物線を描くように声を出す。肩と胸は動かさないようにして〜。

「こんにちは‼」

いい声です。

お〜〜、確かに違います！　しゃべった後、息を吸ったら自然にお腹がポコッて膨らみました。滑舌まで良くなった気がします！

ええ。全然違ってますよ。**講演のときにも、ずっとお腹を意識しながら話せばＯＫ。**

聞きやすい声、良く届く声で話せてます。ただ、お腹を押さえっぱなしだと「あの人、お腹が痛いのかな?」って思われちゃうけど（笑）。

発声練習って、寝っ転がったりして練習しないといけないのかと、勝手に思ってました。

仰向けに寝ると誰でも腹式呼吸になるので、よりコツがわかりますよ。ちなみに、赤ちゃんはいつも腹式呼吸です。

もしかして先生もずっと腹式呼吸?

私は、たぶん24時間。

だから、先生はそのスリムなスタイルなんですか?

いやいや、これは体質的なもの（笑）。それはさておき、**腹式呼吸って、つまり深い呼吸をしているだけなんです。肺の深いところまで空気が入ることで、横隔膜がぐっと下**

がり、結果的にお腹が膨らんで、その空気とともに声を出す。

なるほど！　生まれて初めて腹式呼吸を実感できました。

オペラ歌手の方は、腹式呼吸の達人だから、ドレスを作るのがすごく難しいみたいですよ。ある有名な女性歌手は、息を吸ったときと吐くときで、ウエストが10センチも違うそうです。なので、吸ったときに合わせると、吐いたときにはドレスがぶかぶか。吐いたときに合わせると、吸ったときにはドレスがきつい（笑）。

へぇ～。

例えば、バスに走って乗ってハアハアしているときは、腹式呼吸ができない状態。そんなときにしゃべると、胸の浅いところから声が出てるから聞き取りにくいし、自分も苦しいでしょ。

私の声はずっと、ハアハア状態だったかも！

新人アナウンサーも、お腹を押さえながら、最初は一音一音「ア、ア、ア、ア、ア」ってやるんですよ。それで、「アイウエオ」とか「アエイウエオアオ」と、だんだんフレーズをのばしていきます。そして、どんなときにも腹式が使えるようにしていくんです。

腹式が使いにくい音とかはあるんですか？

子音によっては使いにくい音もあります。「s」とか「t」です。

なるほど。わかる気がします。

とにかく「ア」が基本です。だから、麻由美さんも「ア、ア、ア、ア、ア」ってやってみてくださいね。ウエストは確実に細くなりますよ（笑）。

絶対やります!!

あごをリラックスさせて、声をやわらかく

あれから、腹式呼吸を日々心がけるようにしたら、良いことがあったんです！

なんですか？

電話でレストランを予約するとき、お腹を押さえながら腹式呼吸の声でゆっくり伝えたんです。するとね、初めて伺うお店だったのですが、一番良いテーブルが用意されていたんです。特に高いコースを予約したわけではないんですよ。あれは、声のおかげですね。

あらっ、それは良かったですね。大事におもてなしすべき、品格ある大人の女性だと思ってもらえたんですね。

勘違い大歓迎！

いやいや、勘違いではなくて、腹式呼吸を完全に自分のものにしてください。そうすると、その声のままの人になれますから。

がっ、がんばります！　それにしても、**腹式呼吸をすると自然と姿勢が良くなるからでしょうか。それだけで、気分が前向きになります。**これ、営業の人などは絶対に習得すべきですよね。

そう思います。さらにその良い声を柔らかくすることもできるんですよ。

どうやってですか？

あごの緊張をゆるめて、腹式呼吸ができると、ゆったりした声が出るんです。

あごの緊張をゆるめる？

麻由美さんは、口を閉じたとき、上下の奥歯は付いていますか、離れていますか？

……えっと、私、付いてます。

それ、離した方が良いですよ。

えっ、付いていない人もいるんですか？　それは癖の問題？

おそらく癖ですね。骨格とか歯並びとか、いろいろあるので仕方がない部分もあるんですが、普段から一番奥の上下の歯を付けないようにしてください。

そんなこと言われても……どうやって？

まず、肩を一度上げて、それから「はぁ」っと息を吐いて脱力して。次にあくびをします。そして、唇だけちょっと閉じると、口の中がゆるんでいますよね。

はい！

これが、奥歯も前歯も重ならず、あごの緊張がゆるんでいる状態です。

確かに、今、そうなっています。

その状態のまま口をあけて声を出してみてください。「あ〜」って。

「あ〜」

どうです？

な、なんか違う！

あごの緊張がゆるむと、ゆったりと声が出るんです。だから、固い声から響きの良い柔らかい声に変わっているでしょう。もう一度、あくびをしてからいったん唇を軽く閉じ

て、「こんにちは」って、言ってみてください。2〜3メートル先に向かって。

「こんにちは〜」

！

すごい！　腹式呼吸で覚えた芯のある声にまろやかさがプラス！って感じです。

ずいぶん印象が変わると思います。基本的には本人の気持ちが緊張しているから身体も緊張している。そんな状態から「こんにちは」って出てくると、その緊張が感じられて、聞き手が身構えることになってしまいます。**自分の緊張をほどく方法のひとつとして、あくびをして、いったん身体をゆるめてしゃべってみるのはおすすめ**です。

人前であくびはしにくいですけど、どうしたら良いですか？

そういうときは、閉じた口の中で、前歯も奥歯も軽く開き、歯の上下に隙間を作ります。

唇は閉じているけれど、口の中は開いている状態ですね。そして、舌の緊張もときましょう。あごの骨格や歯並びにもよりますが、舌の先がどこにもほとんど触っていない状態にするといいでしょう。舌の先がもしどこかに触れるとしたら、上下どちらかの前歯に、ごく軽く触れている感じです。そうすると、口から緊張がとけていきます。

何だか本当にあくびが出そう（笑）。

そのくらいリラックスしていいんです。口の中で、ひそかにあくびをするようなイメージです。

それなら、どんな場面でもできますね。

柔らかい声は、相手の気持ちに、垣根を作らずにすっと入っていくことができます。ぜひ、習得してくださいね。

発声練習の次は「発音練習」。「一字起し」で好感度アップ！

私、あれから、いつも奥歯を噛み締めていたことに気付きました。

麻田美さんは肩こりもひどいのでは？

はい、いつもパンパンです。

でしょうね。**奥歯を噛み締めない。腹式呼吸を日々心がける。**それだけでも、**声と身体の調子が変わってきますよ。**

そういえば、ヨガのレッスンのとき、「奥歯の噛み締めをゆるめて〜」とインストラクターの方がいつもおっしゃってます。

でしょ。あとは、発音に気をつけると、さらに伝わりやすい声になります。

発音？

そうです。母音と子音に注意しながら話すってことです。「粒立ち」というのですが、一音一音、大切な音を発するようにします。イメージとしては、炊きたてご飯。お米の一粒ずつが、お釜の中でしっかりと立っていて、しかも全体としてはほど良いやわらかさのご飯って感じです。

イメージはできますが、どうやって？

一音一音、粒立てるように「**アエイ**」「**アオウ**」「**カケキ**」「**カコク**」って言ってみてください。「ア」にも「イ」にもとくに意味はありませんが、一音一音が、ステキな人の名前のようなつもりで（笑）。

「アエイ」「アオウ」「カケキ」「カコク」……おー、口を大きく開かないと発せられないですね。

そうなんです。でも、唇を不自然なほど動かすと、口の奥がかえって開かなくなって、固くて平べったい発声・発音になります。電車の中で、耳障りなキンキン声で話している人を観察してみると良いですよ。歯を噛み締めるようにして、唇だけ大きく開いているタイプに多いです。

うっ、私のこと？（笑）

いえいえ（笑）。**はっきり発音しようとすると最初の音が固くて耳障りな感じになるので、最初の一音目ではなく、二音目をはっきりさせるのがコツです。**例えば「アエイウエオアオ」なら、二文字目の「エ」にフォーカスして、発音する。

うーん？

あら、不満なご様子ね？

もっと身近な言葉で練習したいです。

あらあら、失礼。じゃあ、「オハヨウゴザイマス」にしましょうか。「オハヨウゴザイマス」の「オ」にフォーカスして発音するのと、「ハ」にフォーカスして発音するのとでは違いますから、両方やってみましょう。

はい！

「**オハヨウゴザイマス**」
「**オハヨウゴザイマス**」

わぁ〜。全然違います‼　「ハ」に気持ちを込めたほうが、上品に聞こえます。

ですよね。これを「一字起し」といいます。これはね、あらゆるところで使えますよ。

例えば？

人の名前を呼ぶときなど抜群に効果的です。

「いながきさーん」

「いながきさーん」

ねっ、全然印象が違うでしょ。

ホントですね。最初の感じだと、「怒られるのかしら？」と思っちゃいましたけど、二字起しで呼ばれると、優しく声をかけてもらえたような印象です。

「二字起し」を意識して上品な印象に

before

オハヨウゴザイマス

最初の音をはっきり発声しようと意識すると固くて耳障りな印象に……

after

オハヨウゴザイマス

2音目に気持ちを込めると優しく上品な印象に……

それにね、発音は表情とも関連性が深いんですよ。口角も頬(ほほ)も上がった、**自然な笑顔になるとね、自然と良い発音になるん**です。試しに、口角を思いっきり横に引いたまま、「コンニチハ」って言ってみてください。

「コンニチハ」……、うっ、音が固い！

愛想笑いをしながら喋っているような不自然な声でしょう。本当に楽しいときは、口角だけでなく、口の奥までもが開くんです。女優さんが腹に一物ある役などを演じるとき、作り笑顔で口角だけ無理に上げて、口の奥は開いてない感じにするんです。そうすると、ちょっとコワイ雰囲気になりますよね。確かに口角は上げた方が良いんです。でも、横に引きっぱなしや、無理に上げるのはＮＧなんです。

なるほど～。

唇のストレッチもやってみましょうか。**先ほどやったようにまずあごをリラックス。そして、「アー」と目を大きく開いて口をあける。次に「ウー」と目をギュッと細めて口**

を小さくすぼめる。そのとき、喉の奥は締めない。では、やってみてください。

……は、はい。ちょっと恥ずかしいですが。

大丈夫、大丈夫。「ウー」のときは、顔のパーツをまん中に寄せる感じね。

あ、はい。「アー」「ウー」

そうそう、それ、繰り返して。

「アー」「ウー」「アー」「ウー」「アー」「ウー」「アー」「ウー」「アー」「ウー」

OK！

なんだか顔の筋肉の緊張が解けた感じ。結構気持ち良いもんですね。

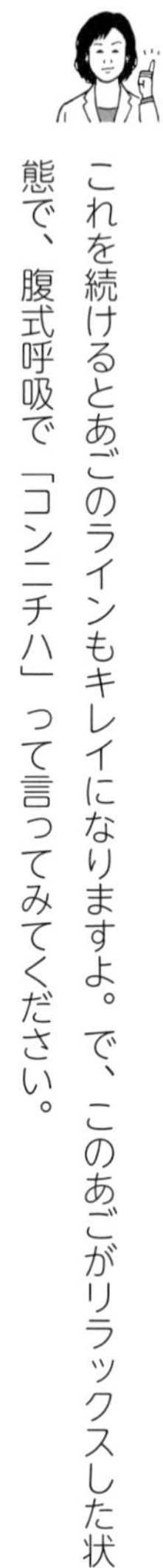

これを続けるとあごのラインもキレイになりますよ。で、このあごがリラックスした状態で、腹式呼吸で「コンニチハ」って言ってみてください。

「コンニチハ」……うん？　何かが違う。落ち着いた印象の声？

本音で生きている人という感じがします。そうそう、ささやき声ってあるでしょ。あれはね、息が漏れている状態なんです。親密な相手にささやくのは良いけれど、**スピーチなどでは息の中身を全部声にして出した方が、説得力のある声になります。**

あー、これを地声にしたい！

もちろんできますよ。日々意識する。それが声を日々磨くということ。磨いて自分の声を適度に好きになってくださいね。

「させて頂きます」は母音重視で、すらっと言える

ぜひ教えて頂きたいのが、滑舌をどうしたら良くできるかです。

滑舌は苦手という方が多いですよね。特にサ行やタ行は難しいです。でも、これも簡単に良くできるコツがあるんです。

簡単に!?　ぜひ、知りたいです！

早口言葉で「特許許可局」ってありますよね。良く「キョキャキョキュ」なんて言っちゃうんですが、**子音を取って、母音だけで「O・A・O・U（オ・ア・オ・ウ）」って言ってみてください。**

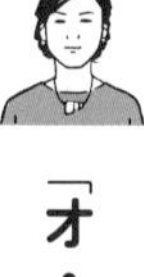

「オ・ア・オ・ウ」

「オ・ア・オ・ウ」って言えますよね。その「オ・ア・オ・ウ」に、軽く子音を乗せて、「オ・ア・オ・ウ」「キョ・カ・キョ・ク」「オ・ア・オ・ウ」「キョ・カ・キョ・ク」……って続けて言ってみてください。「オ・ア・オ・ウ」。

「オ・ア・オ・ウ」

「キョ・カ・キョ・ク」

「キョ・キャ・キョ・ク」……あ〜うまく言えない！

「キョ」とか「キャ」とか思わないで、「オ」や「ア」のつもりで。「キョ」。

「キョ」

その感じです。では、母音だけで、「オ・ア・オ・ウ」。

「オ・ア・オ・ウ」

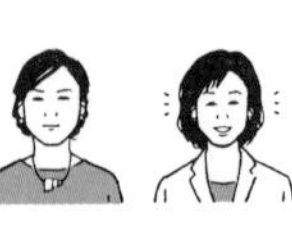

子音を軽～くつけて、「キョ・カ・キョ・ク」。

「キョ・カ・キョ・ク」

そうです！

言えた‼ **「オ・ア・オ・ウ」「キョ・カ・キョ・ク」**！

ねっ。「オアオウ」だと思えば、「キョカキョク」って言えるんです。

うわ～、知らなかった！ アナウンサーの方って、こうやって学ぶんですか？

これはあるとき、気がついたんです。

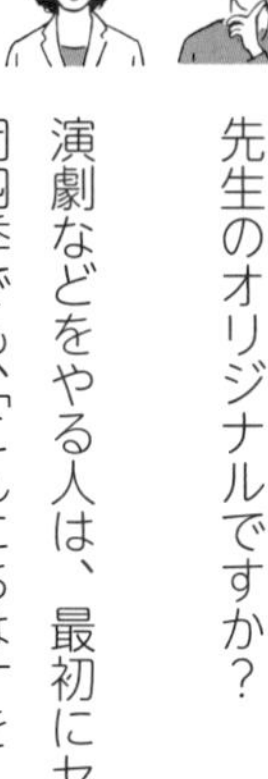

先生のオリジナルですか？

演劇などをやる人は、最初にセリフをすべて母音に直したりすることがあるんです。劇団四季でも、「こんにちは」を「オンイイア」なんてやったあとで、「こんにちは」と言っているそうですよ。こうすると、きれいな響きになります。

「オンイイア」「コンニチハ」、「オアオー」「オハヨー」、「オアオウ」「キョカキョク」。言えた〜！　私、人生で一度も**「キョカキョク」**って言えたことがなかったです！

母音をちゃんと出すと、だいたいの言葉は言えるんですよ。

でもこれは、早口言葉用？

いいえ、普段話すときも、今の「オンイイア」じゃないですけれど、母音をしっかり

出すように意識してください。私もね、実際に指導されたことがあるんです。『源氏物語』の最初のところの「いづれの御時にか」の部分を読んだとき、古典だからしっかり発音しないと聞いている人がわからないだろうと思って、「子音をしっかり」という気持ちで読んだんですね。「IZURENOOONTOKINIKA」って。すると固い響きになって、「それ、全然古典らしくない。もっとちゃんと母音を響かせなさい。それは今時のジーンズをはいてスタスタ歩いている人の読み方です。十二単を着て、ゆったり動いている古典の感じは、子音じゃなくて母音です」って指導されました。

IZURENOOONTOKINIKA

母音を意識するとこんな感じです。

きれい!!

違いますよね。「イ・ヅ・レ・ノ」の全部音がちょっと伸びている感じですね。「イー、ヅー、レー、ノー」って。伸びると母音になりますからね。そういう感じで読むと、「それで良いんじゃない」って言われました。「キョカキョク」も結果的に滑舌が良くなっているんですよね。

理論はわかりました。でも、普段、一般人はどのように気をつければ？

言いにくい言葉に出会ったら、母音だけ拾って言ってみましょう。特に日本語は、母音が5つしかなく単純なので。

「キョカキョク」以外にも、何か例はありますか？

私は早稲田大学の出身なのですが、就活のときに、「セ」のあとの「ダ」の音とかが特に言いにくかったんです。「セ・ダ・ダ」のところが。面接のときに、ドアから入って「早稲田大学の」というところで、「もう言えない〜！」ってなったら……って、すごく困ったんです。特に放送局の試験で、ここが言えないと、多分みんなズルッとなりそうでしょ。

確かに！

で、どうしようかなと。そのときは良い方法が思いつかなかったので、「早稲田の」とか「早大の」とか、危なかったら略してごまかしていました（笑）。だけど、考えたら、早稲田大学って母音を拾うと「ア・エ・ア・ア・イ・ア・ウ」ですよね。これに軽く子音を乗せたら、「ワ・セ・ダ・ダ・イ・ガ・ク」って、結構言えるんですよ。

「ア・エ・ア・ア・イ・ア・ウ」「ア・エ・ア・ア・イ・ア・ウ」「ワ・セ・ダ・ダ・イ・ガ・ク」……あ、ホントだ‼　これ、わかりやすいです。あと、「させて頂く」も言いにくいです。

確かに難しいですよね。アナウンサーでも結構言えない人、います。「させて頂く」の母音だけを拾うとどうなりますか？

「ア・エ・エ・イ・ア・ア・ウ」「サ・セ・テ・イ・タ・ダ・ク」。

流れが良くなるでしょ。

はい！

ただ、高齢の方はだんだん子音が聞き取りにくくなるそうです。だから高齢の方とお話しするときは、子音も大事にはっきり出した方が良いです。その場合でも、子音を強く言おうとするよりは、大事に言うという感じですね。

なるほど。とにかく、**早口言葉は、母音で解決する。言えない言葉を何度も繰り返すのではなく、母音に言い換えて繰り返せばできるようになる**、ですね。

その通り！

声の高さと感情の深い関係

あと、声は正直だなってよく思うんです。

あら、大事なことに気づきましたね。悲しいときにね、(高い声で)「わ～悲しい～!」って言う人はいないし、嬉しいときに(低い声で)「今、嬉しいわ」って言わないですものね。

楽しいときは音域が広く、悲しいときは低めで音域がとても狭くなります。

確かに! 私、夫婦げんかをして夫を問い詰めるときは、音域が狭い気がします。

だと思います(笑)。かなり低く、狭く、じゃないかな。「え、これはどういうこと?」って問い詰めるとき、音域が広いと逃げ道がありそうだけど、狭い音域で言われたら、きちんと申し開きをしないと逃げられない感じになりますからね。

まさに‼　だからこそ？　いや、いろんな意味で声をコントロールできるとイイな、って思うんです。

声の高低で表現の幅は広がります。ちょっと落ち着いた感じにしたかったら、低いところを使うとか、若々しく軽やかにしたいと思ったら、少し高いところを使うとか。例えば、「この数式については、このような理論があります」と伝えるときは……。

理路整然と伝えたいときには、音域を広げる必要がない……？

そう。自然と音域が狭くなります。広げたら重みがなくなっちゃいます。もっと身近な例で言うと、子どもが泥だらけで帰って来たのを見て、音域を狭く「いやだ、早く脱ぎなさい！」と言うのと、音域を広く「あらあら、早く脱ぎなさーい」って言うのでは、全然迫力が違いますよね。

狭いと、怖い。ママ、すごく怒ってる。広いと、優しい。ママ、好き（笑）。

でしょ。ですから、講演などでも使えるんです。**高い声&広い音域で「皆さん、こんにちは！ 今日は○○の話で……」**と楽しく引っ張っておいて、**低い声&狭い音域で「ここは大事です。良く聞いてください」**って、**ちょっと狭めます。**すると、みんながちゃんと耳を傾けてくれます。

じゃあ、会場がザワザワしているときは？

いろいろな技があるんですが、わざと第一声を小さい声で始めるのもひとつの手です。ザワザワしているときに、小さい声で「こんにちは……」ってやると、「あれ、なんか始まったぞ」ってなりますよね。ちゃんと堂々とした態度でやらなきゃダメですけど。

なるほど！ それ、早速使わせて頂きます。

ぜひぜひ！

ところで先生は、ご自身の声の音域を広げようと努力なさった時期はあるんですか？

それともアナウンサーの方は、みんなもともと素質として音域が広いんですか？

もちろん、私も努力しましたよ。基本は、その人固有の音域があるんですが、持っている音域の中で、できるだけ高いところも低いところも出せるように、気をつけている人が多いと思います。

ここは高くしようと、意識したり？

そう。その場や内容に合わせて声の高低を変えています。正確に言うと、作品や原稿を読み込んだ上で、自然に出る高さが一番良いんですけれどね。ディレクターから指示が出ることもあります。指示が出た場合は、それに合わせて変えられるような訓練は必要ですよね。

では、一般人の私は、どうやって広げたら良いですか？

さっきの「アイウエオ」でも、例えば「ア」で低い音を出したら、「イ」でポンと上げてみる。

アイウエオ

それ、音符でいうと、どんな感じですか？

普段「ド」と「レ」しか使っていなかったら、「ド」と「ミ」とか、「ド」と「ソ」とか。「イ」でポンと高い音を使ってみるんです。「ドソソドド」とか。

ドソソドド……なるほど！　それをずっと言ってると、勝手に広がるようになるんですか？

はい。自分で発声練習しながら、ちょっと音域を広めに。でなければ、高い音で「アイウエオ」、低い音で「アイウエオ」と、低い音と高い音を順番に出してみるとか。音域を広く笑顔で「おはようございます♪」と言うのと、狭く下を向いて「おはようございます」と言うのでは随分違いますからね。例えば、講演会の第一声は、ものすごく深刻な話でなければ、ちょっとにっこりして「みなさん、こんにちは！」って始めたいですよね。

はい。にっこりすれば、声が自然と高くなります。逆にお葬式の司会は究極の狭さに？

そうですね。おそらくお葬式の司会をなさる方は、プロの司会者でも葬儀社の方でも、「それでは、ただ今より……」では、2音くらいしか使ってないです。いや半音かも。

確かに。

あと、高い音の方が、遠くに届きます。それから、音域が広いと話にメリハリがつきます。

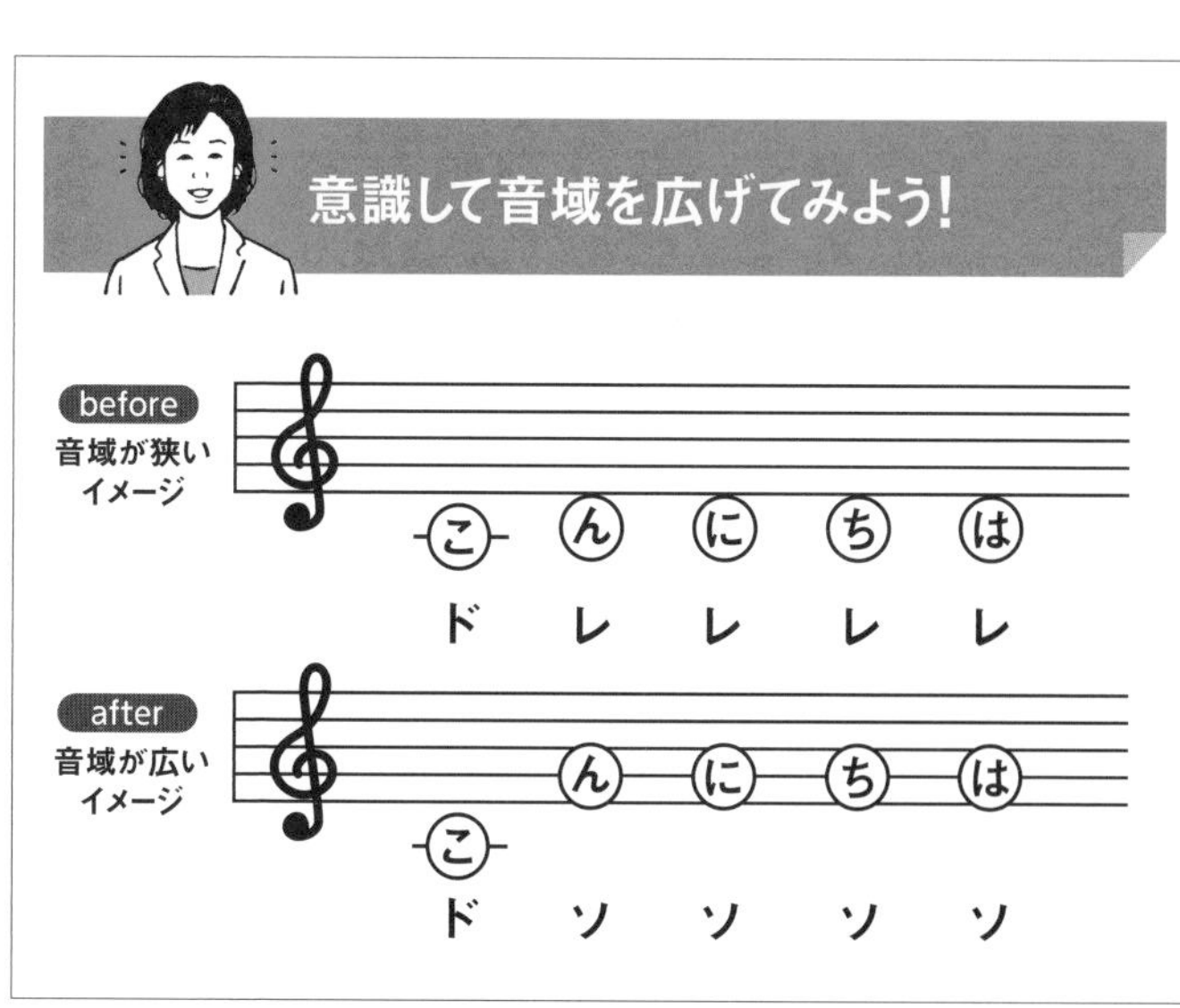

そういえば、政治家でスピーチが上手い人は、音域が広いのかもしれないですね。山本太郎さんは、間の取り方も抜群だし、声の表情が豊かですよね。

あの方は、問いかけが上手く、みんなが聞きたいことを言ってくれますからね。もともと役者さんですから、声の訓練はものすごくしているはずです。

安倍首相は音域が狭いかも。

ちょっと余裕がない感じのときがありますね。いろいろ問題があったりして、「その問題につきましては……」などと答えるときは、声が高くて音域が狭く、子音が強いですね。高いところで狭いのは、人が怒ったときの声です。

なるほど。確かに！

第3章

まとめ

❶声は作らず、磨くもの。伝えたいのは話の中身。その中身を運ぶのが声。聞きやすい声になろう。

❷お腹を手で押さえて声を出すだけで激変！「良い声」&「腹式呼吸」は簡単に誰でもできる。

❸あくびのときの口をイメージする。奥歯の噛み締めをゆるめると、まろやかな声になる。

❹口周りと顔のリラックス。「**オ**ハヨウゴザイマス」よりも「オ**ハ**ヨウゴザイマス」。一字目ではなく、二字目を大切にするつもりで発音すると、感じ良く聞こえる。

❺滑舌が気になる人は「母音」を意識しよう！

❻声の表情は豊かにできる！　その場や内容に合わせて声の高低を変えてみよう。

彩子先生の
脱話し下手コラム
3

本音の声とコスプレの声

都内のある私鉄駅で、妙に気になる録音アナウンスを耳にしました。声優さんの声のようです。「間もなく×番線に電車がまいります」というごくあたりまえの内容なのに、まるでアニメのキャラクターのような、リアリティーが感じられない声なのです。二次元の、一番線担当のダンディー駅長役と、二番線担当のキュートな小娘駅員役の声といった雰囲気。まるで声優さんがそれぞれの役という衣を着て、声のコスプレをしているように聞こえます。

ちょっと気取った美声のダンディー駅長と、愛らしくて幼い感じの小娘駅員の動作や心情をカッコに入れて表現すると、こんな感じです。

男性：ま〜もなく（エヘン！）、い〜ちばんせんに、（気持ちを溜めるよう間）……

女性：まもなくゥ（ウフッ！）、にばんせんに（うるんだ瞳でまわりを見回す）……

交通機関のアナウンスに大切なのは、電車の情報です。しかし、声と話し方の印象が強烈なせいか、そのアナウンスからは内容がストレートに伝わってきませんでした。もしあの声で運休や事故などの緊急事態を告げられたら、乗客が適切な対応をとれるかどうかと心配になってしまいました。

周りから求められる声＝コスプレの声

女性用の服の店などで、若い販売員の方が鼻にかかった独特の作り声で「いらっしゃいませ～～～」と呼び込みをしているのに出会うことがあります。客への応対や販売員同士の会話とは別な声ですから、呼び込みの鼻声は、一種のコスプレの声なのでしょう。

コスプレの声で本音は伝えられませんが、コスプレの声には便利な面もあります。コスプレ声だと、何かトラブルが起きても、話し手はあまり深刻に受け止めずにすみそうです。例えば、クレーマーとかモンスターとか言われる客が、理不尽なことを言ってきたとします。そんなとき、その場をまるくおさめるために、不本意ながらも謝らなければいけこともあるでしょう。自分に非がないのに自分の本当の声で謝罪すれば、自尊心が傷つきます。

それなら販売員Aというキャラクターになりきって、その声に謝まらせれば、気が楽です。「だって、これは私の本心ではないのですもの。私が演じるキャラクターが言ったことですもの」という言い訳で、自分の心を守るのです。

ちょっと飛躍しますが、ときどきテレビでも紹介される、北朝鮮（朝鮮民主主義人民共和国）のニュース番組や、日本の第二次世界大戦中のニュース映画の音声に、違和感をおぼえる人は多いことでしょう。高圧的な、煽るような独特の話し方からは、ただならぬ何かが伝わってきます。重大な事柄を威圧的に伝えようとしていることを、たとえ意味がわからない外国語からでも、私たちは感じ取ることができます。国の体制がメディアに要求することを、アナウンサーがその口調で表現しているからでしょう。

北朝鮮のテレビで重大なニュースを伝える、民族衣装のベテラン女性アナウンサーは、日本でもすっかり有名になりました。あるとき私はネット上で、彼女が中国のテレビ局の取材を受けたときの動画を見つけました。明るい表情、おだやかな口調で中国の記者のインタビューに応える彼女は、声を張り上げて威圧的にニュースを読んでいるときとは、まったく違う印象でした。彼女のニュースの口調も声のコスプレなのだと私は確信しました。

実は私自身も、アナウンサーらしく話そうとするあまり、高目の作り声でわざとらしく話していた時期がありました。今思うと、社会人としての経験が浅いのにいきなり不特定多数の人に向かって話す立場になってしまい、自分の声に自信がもてなかったからです。「プロらしく話せ」「女性らしく話せ」という、周囲からのプレッシャーもありました。特に「女性らしく」の方は、同期入社の男性アナが「男性らしく話せ」と言われないのとは対照的に、たびたび要求されました。１９７０年代の社会は、女性と男性のアナウンサーに対して別々なものを求めていたのでしょう。**私も〈いわゆる女子アナ〉という声のコスプレにはまっていたわけです。**

コスプレの声では本音が言えない

そんなことを続けていたある日、取材の帰りにスタッフと別れて一人で電車に乗ったとたんに、私は口の周りが疲れてうまく話ができなくなったような気がしました。それは一瞬のことでしたが、「この声では本当のことが言えない、本音で話せない」と思いました。それで、私は〈いわゆる女子アナ〉という着ぐるみを脱ぐように、作り声をやめたのです。

その後、女性をとりまく環境が変わって、低目の地声で話す女性が増えたように感じました。１９８０年代にはニュース番組のメインキャスターに女性がつくことも増え、放送現場では女性アナウンサーに低目の声を求めることが多くなりました。しかし、また最近、若い女性の中に、いわゆるアニメ声と言われる作り声で話す人が出てきました。いつの時代にも、若い女性には世間からさまざまなプレッシャーがかかりがちです。ですからその重圧から逃れたいという気持ちもわからなくはないのですが……。

若い女性とメディア出演者が、本音の声で話せているかどうかは、社会の風通しの良さをはかるバロメーターのひとつかもしれません。

第4章

カッコ良く人前で話せるようになりたい！

彩子先生、だんだん欲が出てきました(笑)。カッコ良く人前で話せるようになるには、いやいや、聞き手にちゃんと耳を傾けてもらえるためには、それなりの技術も必要ですよね。目線とかリズムとか……。ズバリ！彩子先生の「話す技術」「伝える技術」を教えてください！

いよいよ「間」の話ですよ。

お笑いのプロの話が面白いのは、テンポとリズムが良いから

会議でも、講演でも、「話がうまいなぁ」と思う人は、緩急のつけ方が上手！といつも思います。じっくり聞かせるところ、リズム良く進めるところのミックスが絶妙で……。あの「聞かせる」っていう感じを出すには、かなりのテクニックが必要ですよね。

そうですね。**聞かせるためには、「間」が必要です。で、その「間」が活きるのは、そこにたどり着くまでの「テンポ」と「リズム」があってこそなんです。**

テンポと言えば、落語家さんとか漫才師さんですよね。

彼らは、ときにはゆっくりたっぷり語り、またときには小気味良くたたみかけます。緩急自在。聞き手がそのリズムに身を委ねると、安心して笑えたり、スリルを味わえたり

できる。すごい芸です。

そういえば、講演家や政治家でスピーチがうまいなぁと思う方は、「落語が好き」っておっしゃることが多いです。

わかる気がしますね。お笑いのプロの話が面白いのは、ネタだけではなくて、「内容」と「話し方」の両方が面白いからなんです。素人さんが同じ内容で話しても、きっと笑いは取れません。

そうですよね。さんまさんとか、独特のテンポでついつい引き込まれます。

さんまさんは、相手が出したものに、当意即妙にポンポン返していきますよね。あれがテンポの良さとして感じられるんです。

あの返しは、とても真似できません。

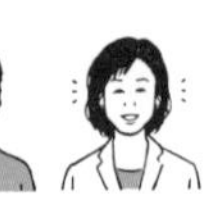

もちろん、あの方は天才ですから（笑）。

そうでした……。

お笑いに限らず、私たちの日常でも軽い会話を楽しむときは、テンポ良く少し早めの方が、話が弾むことが多いですよね。

早口の人には早口で返した方が良い、ってことですか？

というより、漫才のように、相手・相方の呼吸に合わせてみるのです。**一緒に面白がり、その話を受けて同じ呼吸で答えると、会話にテンポが生まれます。**テンポがあって会話が弾めば……。

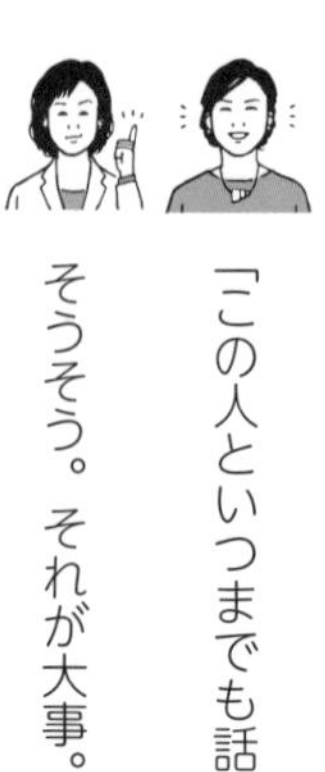

「この人といつまでも話していたい!!」と思う。

そうそう。それが大事。

そして、錯覚して恋に落ちる！

あらあら。確かにそうかもしれませんね（笑）。また、講演のように一人で長く話す場合には、特に緩急が大切となります。

テンポをいろいろ変える、ってことですか？

でないと、聞いている方は飽きちゃうでしょ。私の中学の校長先生は、とにかく話が長くて有名でした。先輩がいたずらで、途中で拍手なんかしちゃったものだから、気を良くしてさらに長くなり、貧血者が続出したという伝説も残ってます。

それ、困りますね。

今考えると、話の内容云々ではなく、校長先生の話し方が一本調子だったんです。どこかでテンポアップしたり、じっくり聞かせるところがないと、聞き手の心には届かないんですよね。

まさに修行のような朝礼だったんですね。でも、実際にやるとなると難しいです。

それができるようになるには、まず、ある程度原稿をきちっと書くこと。

原稿を書く。朝礼でも？

慣れている人は箇条書きでもＯＫですが、**まずは書いたものを声に出してみるんです。そうすると、ダレるところや飽きるところが、自分でもわかります。**

シミュレーションするってことですね？

自分で「あ〜、ここつまらないな」と思うところに、テンポ良く話せるエピソードを織り込むのです。

テンポ良く話せるエピソード？

生き生きと情景が立ち上がってくるような、おもしろエピソードです。

う〜ん。もう少し具体的にお願いします！

話のテーマに関連した時事的なことだったり、小噺だったり、リアル失敗談とかです。
それを、ちょっとした息抜きとして入れるんです。

その失敗談は、派手な方が良さそうですね。

でも、**「これ面白いでしょ？」とドヤ顔で話すと、かえって聞き手に引かれます**から、
そこは気をつけましょう。

やりがちかも（笑）。

印象を大きく変える、絶妙な「間」の取り方

何度か「間」の話が出てきましたが、気になるのでもう少し教えてください！

はい。もちろんです。

「間」の取り方で、話し手から受ける印象や存在感が大きく変わると思います。

そうですね。

大物政治家と言われている人たちって、間違いなく「間」がうまいです。何を持って大物って言うのかは難しい時代ですけど……。

まあね。一昔前の政治家はあの「間」で黙らせ、惹きつけるようなところがありましたね。「間」というのは、余裕がないと取れないものなのです。つまり、しっかり「間」を取って話せるということが、その人のゆとりや大きさを感じさせるのでしょう。

私も身につけたいです！

簡単な練習方法がありますよ。

教えてください‼

一人で練習するなら、一人二役を自分でやってみます。うなずき役も自分でやってみて、間合いをつかむ練習法です。

どうやるんですか？

例えば、こんな会話を一人で声に出してやってみてください。

「朝起きたら、雨が降っていましたね」
「そうですね」
「空がまだ暗いですね」
「あ、ホントですね」

ちゃんと「間」を取らないと、会話っぽくならない？

そう。いろいろなテンポで試してみてください。そして、**「聞き手役の言葉を声に出さずに心の中で待つ、心の中で返事をする」という風にすると、「間」の感覚がつかめてきます。**

なるほど！　やってみます。

これなら、家事をしながらでもできますしね。

はい。でも……。

どうしました？

今のは「一対一」の会話のケースでしたけれど、「一対多数」の場で、聴衆を引きつける「間」というのも教えて頂けますか？

もちろん。例えば、講演会が始まって、「みなさん、こんにちは」って客席に向かって言いますよね。すると、「こんにちは」って返ってくる流れになります。「今日は○○についてのお話をします」と話すと、聞き手は心の中で「はい、そうですか」という返事をします。

？

この**「聞き手の心の中で生じている反応を待つ」**ということができると良いんです。

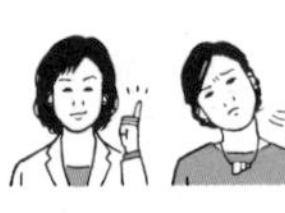

相手の心の中に生じている声まで、考えたことがなかったです……。

これも声に出して自分でやってみると良くわかりますよ。


「みなさん　こんにちは」

「こんにちは」

「今日はうまく伝える話し方について、お話しします」

「はい、待ってました」

「みなさん　話し方について、困っていませんか?」

「そうなんです」

!

はじめのあいさつから、つかみまでくらいまでは、話し手と聞き手の二役を自分で繰り

返しやってみると良いでしょう。

繰り返すうちに、「間」がつかめる気がします。

そう、繰り返しが大切！

でも、「話しがうまいなぁ」と思う人は、もっと長い「間」を使っているような気がします。ＴＥＤ（世界の有名人による講演会を開催・配信している団体。ＹｏｕＴｕｂｅでも見ることができる）なんかを見ていると、いつも感心します。ああいうのは、どうやって習得していけば良いんですか？

そういうときはね、数を数えてみましょう。

？

2秒ずつ。

？

私も新人アナウンサーの頃はときどき数えてました。

先生、具体的に教えてください〜。

例えば、自治体のお知らせの原稿で、「それでは港区からのお知らせです。港区では○月○日に××のイベントをします。このイベントは……」と、あったとします。この原稿、ただ単に読むだけだと伝わらないんです。

それって、どういうことですか？

では、実際にやってみましょうね。

「みなさん、こんにちは。（心の中で1・2）港区からのお知らせです。（1・2）。港区

「では○月○日に××のイベントをします。（1・2）このイベントは……」

本当だ！

心の中で数えながら読んでいくと、ほど良い「間」とリズムが生まれていきます。

2秒って結構長いですよね？　「間」を取るのって、勇気がいるかも。

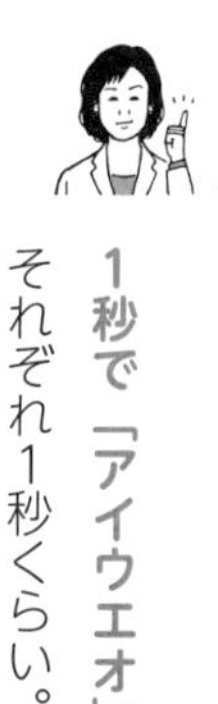
1秒で「アイウエオ」の5音が言えるんです。「アイウエオ」「コンニチハ」、これで、それぞれ1秒くらい。

1秒で5文字！

そう。だから2秒あけると、「港区からのお知らせです」「(そうですか…)」と聞き手が納得するのにちょうど良いんです。

聞き手をもっと引きつけたいときは、さらに「間」をあけると良いんですか？

引きつけたいときは、…………………あけた方が良いです。

？

今、4～5秒あけてみました。

あ～！

言うことを忘れてしまったときや、言い間違えて「あっ、しまった……」って止まっちゃうときも、だいたい4～5秒になるんですが、実は、聞いている人は全然気にならないんです。**5秒くらいって、普通の「間」なんです。**放送事故にもならないですしね。

放送事故って、何秒でなるんですか？

10秒とか20秒とか、放送局によっていろんなルールがあるんですけどね。とにかく、5秒では絶対に放送事故にはなりません。

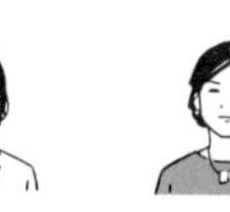

れいわ新選組の山本太郎さんとか、演説で「みんな、……………このままで良いと思っていますか?」って、話してますよね。

そう、今ので4秒くらいです。

「間」を長めにあけると?

聴衆が「えっ?」て乗り出すでしょ。

確かに!

強調したい言葉やものごとがあるときには、その言葉の前をあけるのも、ひとつの手法なんです。

なるほど！

一部復習を兼ねて、強調したい言葉やものごとがあるときに使えるテクニックを紹介しましょう。「これ、グレープフルーツじゃなくてオレンジですよね」という文で、「オレンジ」を強調したい場合を例にあげますね。いくつか方法があります。左ページの図を見てください。

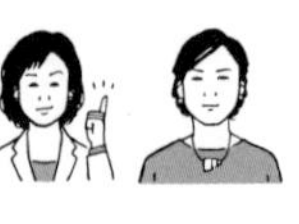

はい！

ゆっくりは誰でも言えますよね。でも、高くとか強く言うっていうのは、それこそ音域の広さや声量がないと難しいのです。普段、日常会話ではやっていても、意図的にやろうと思うと、ちょっとした技術が必要になります。でも、**強調したい言葉の前に「間」をあけるテクニックは、心の中で数を数えるという奥の手を使えば、誰にでもできます。**「これ、グレープフルーツじゃなくて（1・2）オレンジです」って、これだけで、「オレンジ」って伝わりますよね。

強調したい言葉があるときに使える彩子先生秘伝！ 4つのテクニック

高音で言う

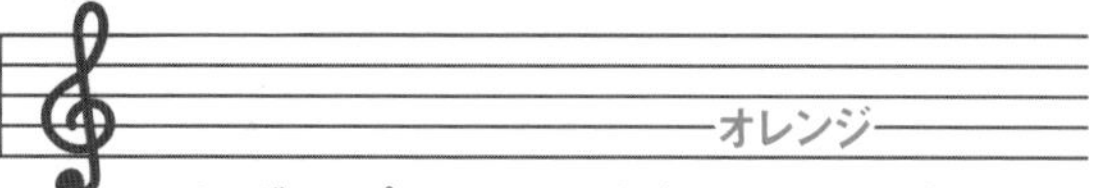

これ、グレープフルーツじゃなくて　　　　ですよね

強く言う

これ、グレープフルーツじゃなくて**オレンジ**ですよね

ゆっくり言う

これ、グレープフルーツじゃなくて オ　レ　ン　ジ ですよね

直前に「間」をあける

これ、グレープフルーツじゃなくて…………オレンジですよね

「間」をあけるのがいちばん簡単！

なるほど！　引きつけたいときに、その前に「間」をあけるって、効果的なんですね。

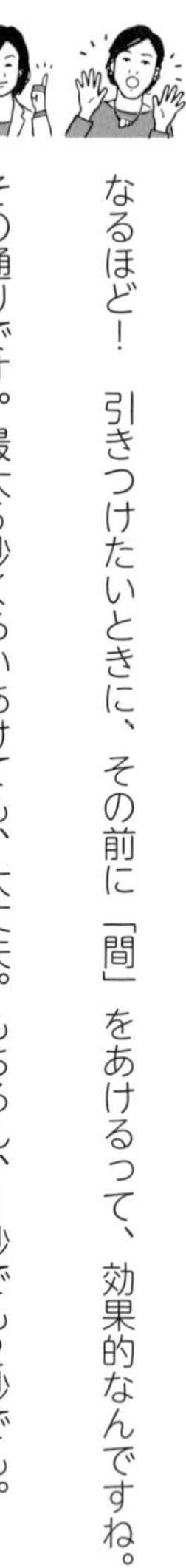

その通りです。最大5秒くらいあけても、大丈夫。もちろん、1秒でも2秒でも。

勉強になります。

このテクニック、実は他の用途にも使えるんですよ。

どんなときですか？

会場がザワザワしているときに、「じゃあ、次の話ですが」って大きな声を出しても、なかなか振り向いてくれませんよね。「次の話に行きますね。ちょっと静かにしてください」って言うのも、あまり効果がない。前に、あえて小さな声でスタートするというのもお伝えしましたが、「次の話に行きますね。…………良いですか？」って、「間」をうまく使うと、人は気になってしまうんです。

気になるから、話し手の方を向いちゃう。

だから、「失敗したかな？」って思ったときは、「あっ」とかって言わなくて良いんです。**逆に、失敗を、聞き手をコントロールする余裕の「間」にすり替えてしまう。**

言いがちです。「あっ」て。

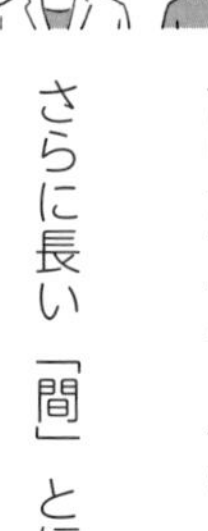

さらに長い「間」と短い「間」。あえて間髪を入れずにすぐ次の話題に移るなど、「間」を自在にコントロールできるようになれると良いですよね。

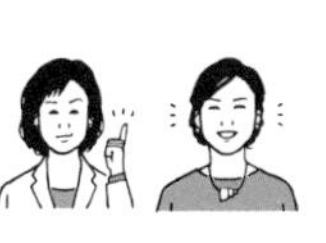

それができると、確かにカッコ良い。理想です！

でしょ。日本語には、「間が悪い」とか「間抜け」など、「間」に関する言葉がたくさんあって、それだけ重要視されてきたわけです。「間」を自在に使いこなせるように、ぜひなってくださいね。

語尾上げは品格を下げる。だから一言一言を大切にする

人の話を聞いていると、語尾上げがすごく気になることがあります。語尾上げで話すと、品がないというか、安っぽくなる気がします。気づかないうちに、自分もそうなっているかも……と思うとちょっと怖いです。

そうですね。語尾上げがクセになってる人は多いですね。**高い音や引っ張る音は、本来は強調したいとき、注目させたいとき、注意を向けたいときに使います。**

ええ。

でも、例えばぁ〜、話のぉ〜、一番必要なぁ〜、ところはぁ〜、助詞ではぁ〜、ないわけですよねぇ〜(笑)。伝えたいことの意味とは関係なく、助詞などの語尾で上がったり、

伸びたりしていると、そこだけが印象に残ってしまいます。

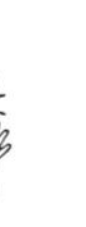
はい。ウザイって感じです。

丸暗記したことや考えてきたことを思い出しながら話すと、語尾は上がったり、伸びたりすることが多いんです。

確かに。思い出しながらしゃべるときは、私も語尾が上がってるかも！

でも、今、目の前にいる麻由美さんの目をちゃんと見ながら、「わたしぃ〜、きのう〜、夕飯のときぃ〜……」って語尾上げで言うと、すごく変な感じがしますよね。

します！

「それではぁ、今日はぁ、4章についてのぉ、お話をしまぁす」という話でも、この人にわかって欲しいと、相手の目を見ていたら、語尾は上がりません。

目を見て話す。それ以外に何に気をつければ良いですか？

ちゃんと**聞き手に一言一言届けていくことを意識することですね。助詞ではなく単語の方を**です。

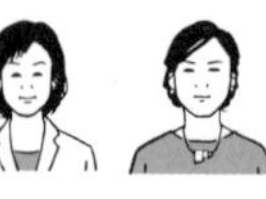

なるほど。

語尾上げになるのは、他にも、聞き手に「確認する」気持ちが過剰に働いているときや、聞き手に「同意」を求める気持ちが大きなときなどがあります。

わたしぃ〜、イチゴジュースとかぁ〜、好きだからぁ〜（↗）。

そうそう（笑）。上げるとぉ〜、やっぱりぃ〜、注目してぇ〜、もらえるからぁ〜、ねぇねぇ、私の方見てぇ〜、わたしぃ〜、かわいくない（↗）？

先生、彼氏におねだりする女の子みたいです。うっとうしいです（苦笑）。

おねだりするときって、上がりますもんね。

パパァ〜（↗）。

そうそう。語尾を下げたら、おねだりな感じにならないでしょ。普段の会話で、本来とは違うところで上がると、聞き手はそこにゴリ押しを感じるんです。聞き手への配慮や尊敬があれば、変な語尾上げは生まれません。

その人の思惑や生きる姿勢が語尾上げを生んでいる。そう思うと深いですね……。

真剣な愛の告白のとき、語尾上げすることはありませんよね。**直球が、やっぱり心に届くんです**（笑）。

目線で聞き手をつかめば、スタートはＯＫ

さっき目線の話が出ましたが、話すときの目線ってすごく難しいです。「一対一」のときに、相手の目ばかりを見て話していると、お互いに疲れちゃいますし。「一対多数」のときには、前に立つ人の目線がキョロキョロしていると、みっともなく感じます。

一般的に日本人は、人の目を見て話すのが苦手ですからね。……って今、私は、麻由美さんの目をじい〜っと見ているんですが、どうですか？　見られて。

「もう勘弁して！」って感じです。

ですよね（笑）。では、今度は、視線を麻由美さんの口もとのあたりに落としながらしゃべってますが、いかがですか？

かなり楽です。不快な感じもないです。

違いますよね。**話が長くなるときには、私は良く相手の口もとのあたりを見ています。**

「ネクタイあたりを見るのも良い」って聞いたことがありますが……。

じゃあやってみますね。麻由美さん、ネクタイはしていませんが、していると仮定して……。**まず、話し始めるときには、相手に視線を合わせる。これが基本。このアイコンタクトが「これからあなたに話します。あなたに聞いてもらいたいと思っています」という意志表示になりますからね。**

はい。

それから口もとへ目線をもっていって……。違和感がありませんね。さらに視点を落として、ネクタイのところを見ながら話すと……。

あ！　これはイヤです。

ですよね。相手との距離が近い場合、ネクタイはＮＧです。

実際に体験すると良くわかります！　相手の視線がネクタイのあたりになると、「ちゃんとこっち向いてよ!!」って思いました（笑）。

相手の目を見て話し始めたら、徐々に目線は口元へ。相手の理解を確認したいとき、共感を得たいときなどは、また戻って、相手とアイコンタクト。スポーツでも、音楽の演奏でも、アイコンタクトを取ることでチームやグループに一体感が生まれますよね。話すことも同じなんです。

では、たくさんの人の前に立って話すときには？

会議のときなどは、中央の人か一番遠くの人に目線を当てて話し始めると良いでしょう。一文、ワンフレーズなど、切りの良いところで、別の人に目線を移していきましょう。

「。」のところで、次の人に行けば良いんですね！　実は、いつも困ってたんです。参加者全員と均等に目を合わせないといけないんじゃないかと思ってました。そうするとキョロキョロしちゃったりして。

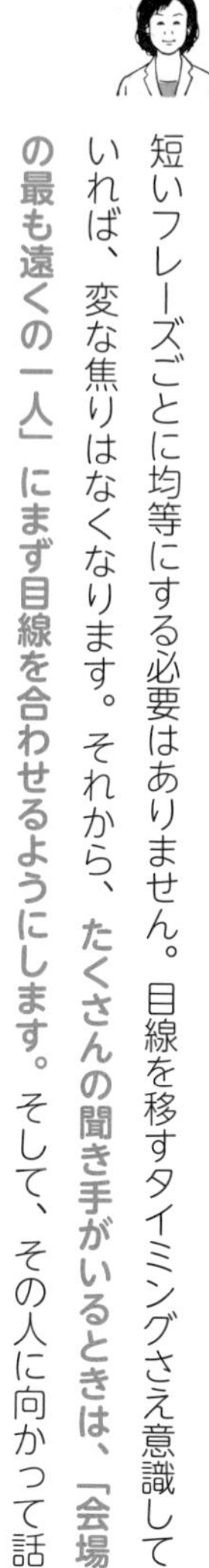

短いフレーズごとに均等にする必要はありません。目線を移すタイミングさえ意識していれば、変な焦りはなくなります。それから、**たくさんの聞き手がいるときは、「会場の最も遠くの一人」にまず目線を合わせるようにします。**そして、その人に向かって話しかけるつもりで話を始めると良いでしょう。

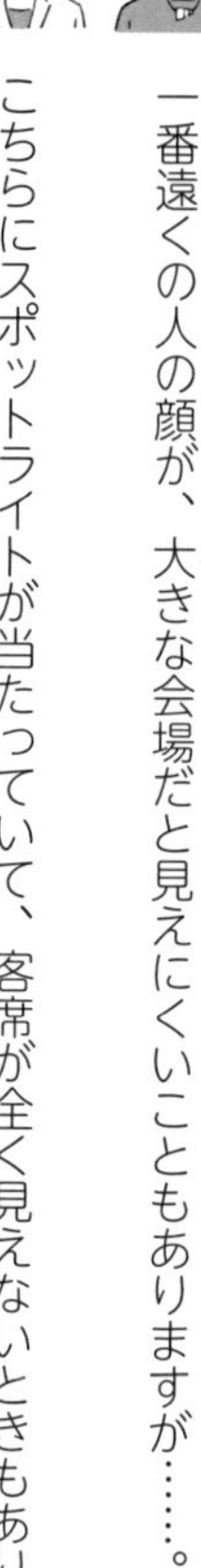

一番遠くの人の顔が、大きな会場だと見えにくいこともありますが……。

こちらにスポットライトが当たっていて、客席が全く見えないときもあります。そういうとき、私は会場の一番後ろの非常口についた人の形をデザインしたランプを、「遠くの一人」に見立てて話し始めることにしています。

まぁ、それも人、と言えなくないですね（笑）。でも、非常口のランプって、けっこう

上の方にありますけど、客席の人からすると違和感はありませんか?

目線は、下の方に向いているよりも、やや上の方が違和感がないものです。さらにね、遠くに届いているものは、近くにも届くんです。声も気持ちもね。

声と目線は連動している。

目線が変われば姿勢が変わります。下を向くか、前を向くか、上を向くかで、当然姿勢は違ってきますよね。

猫背では遠くは見えないですもんね。

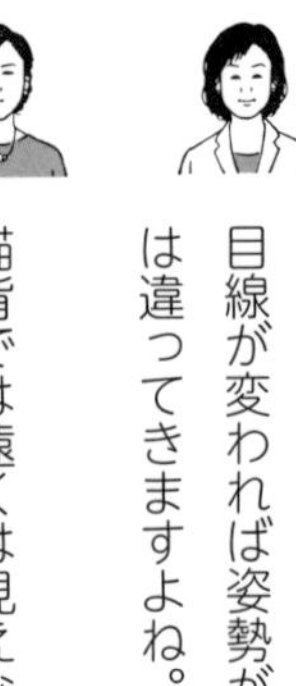

前にもお話しましたが、姿勢が変わると呼吸が変わります。背筋を伸ばせば呼吸が深くなって、すると声が遠くに届きます。つまり、「**目線が変れば姿勢が変わる。姿勢が変われば呼吸が変わる。呼吸が変われば声が変わる**」というわけです。

お〜！　深いです。

それに、**近くの人ばかりに目線が行くと、遠くの人は無視されていると感じます。**聞き手に声を届けるには、聞き手を見るのが原則。遠くの一人に声と気持ちと言葉が届けば、会場のみなさんに話が届きます。

なるほど！

そうそう、絶対にしてはいけないのが、聴衆を漠然とした大勢の塊としてとらえること。

塊？

そう。結局は誰にも聞いてもらえない話になってしまいます。

どういうことですか？

聞き手の立場になって考えると良くわかるんですけど、自分のことを塊の一部ととらえている人の話は、聞きたくありませんよね。でも、大勢の中のたった一人の自分に向かって話しかけられていると感じれば違うでしょ。

確かに！　でも、第一声のあとがまた難しくて。どう目線を動かせば？

遠くの一人に声が届いたら、少しずつ目線を会場の真ん中あたりの人、近くの人、正面の人、脇の人と、いろいろな場所にいる人に合わせるようにします。

「いろいろな方向を見なきゃ」と思うと、落ち着きのない目線になりますが……。

会場に100人とかいたら、そもそもそれは無理ですよね(笑)。この場合も、あっちこっち見なきゃじゃなくて、文節とか、切りの良いところで目線を移していけば良いんです。会場が広いときは、同じエリアで目線を少し移すのではなく、ちょっと違った方向の人に大胆に移した方が違和感はありません。

遠くへ届けば近くにも届く。
大きく目線を動かせば広く届く。

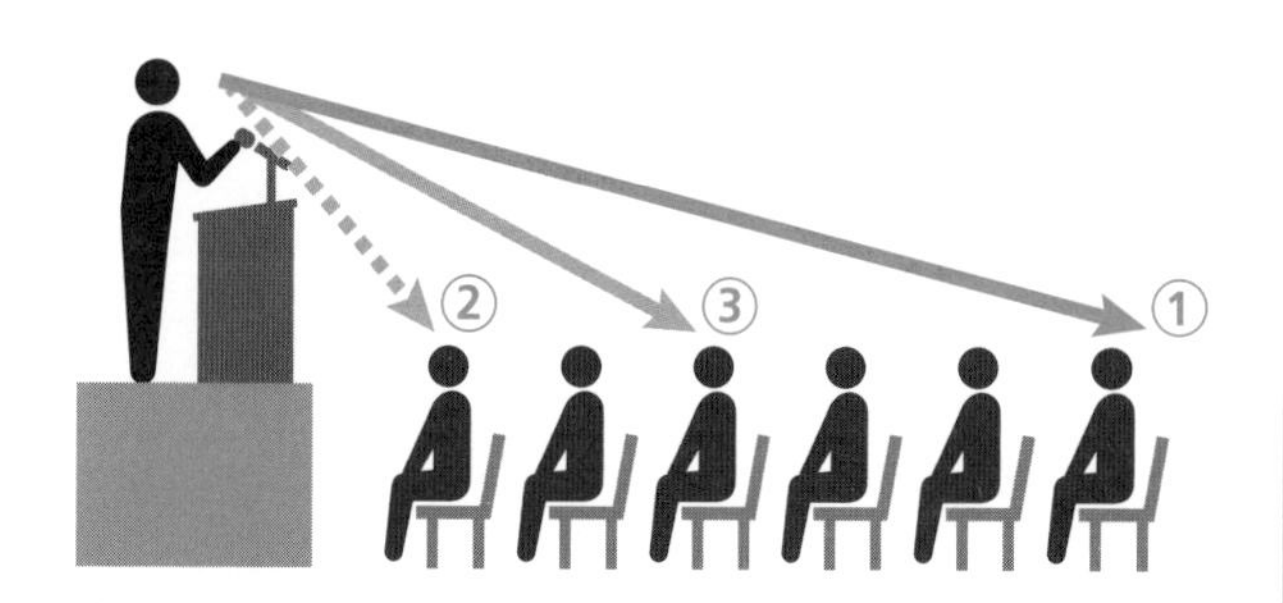

話の最初に一番遠くの人に向けて、
その後に、近くの人、真ん中の人……と、目線を移せばOK。

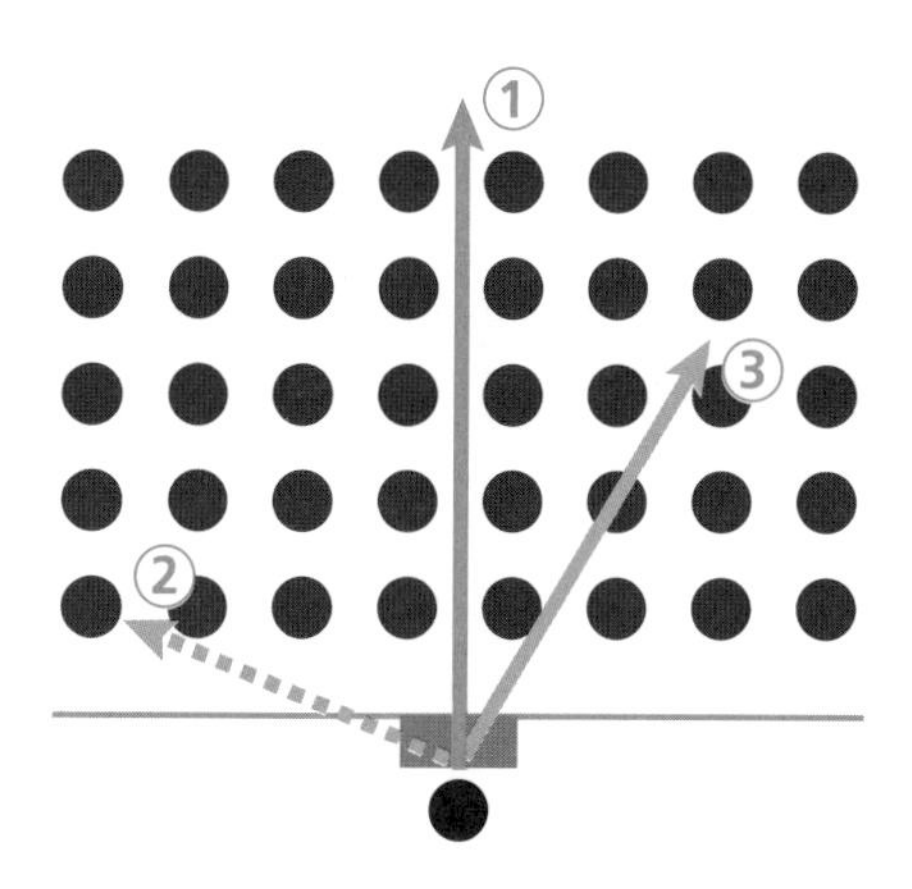

広い会場の場合は、遠近だけでなく、
横の広がりも意識して目線を移せると、よりベター。

大胆に違った方向？　隣の人を無視して、目線がポンって飛んだら感じが悪くならないですか？

大丈夫です。「今日は目線の（隣に目線を動かす）お話しますね。つかみのところの目線ですが……」と、短い言葉で次々と隣の人に目線を移していったら……。

うーん。これだと遠い人が置いてきぼりにされた感じがするかも。

そうなんです。だからこそ、目線はポン・ポン・ポンって飛ばした方が良いんです。飛ばされた間にいる人にもちゃんと届くので安心してください。

飛距離があるほど、声も思いも広く届くってことですね！

自分目線、聞き手目線、そして、第3の空想目線

上手に話そうと肩に力が入っているときほど、聞き手の心に届かない気がするんです。

それは、きっと自分目線になっているからですよ。

自分目線？

第2章でも少し説明しましたが、**「スピーチの名手と言われたい」とか、「講師らしく見られたい」とか、そういう野心が過剰にあるとね、意識が自分の方ばっかり向いて、相手に目線と気持ちが届かなくなるんです。**聞き手は、話し手の独り言に付き合わされているような感覚になります。

いや〜、「名手と言われたい」とまではいかないですけど（汗）。

スピーチ・プレゼン・講演では、「聞き手目線」を忘れないこと。聞き手と向き合う気持ちは、声にも話し方にも表れますからね。自分目線の人の話に、聞き手はついてきてくれません。

聞き手か自分か……。話すときに2つのどっちに目線があるかで変わるんですね。

実はね、第3の目線もあるんです。

まだあるんですか？

今ここにある現実とは違うことを考えているときの目線です。過去を思い出しているとき、未来を空想しているとき、ここことは違う別な場所を想像しているとき……。こんなときに人はどんな目をしていますか？

遠くを見るような、少しぼんやりした目線になります。

それが「空想目線」。「お腹すいたなあ……」が「自分目線」。自分の空腹感に意識が向いていますよね。「何か食べない？」が「聞き手目線」。聞き手の反応を呼び起こそうとしています。そして、「あのレストランに行きたいなあ……」が「空想目線」です。

ここではない場所、今ではないときに、意識が向いていますね。

そうです！　**スピーチで準備したはずの内容をど忘れして一生懸命思い出そうとすると、この「空想目線」が出てきます。すると聞き手は、自分に話しかけられているという感覚がもてなくなります。**

「どっち向いてるのよ！」って目線（笑）。

普段の会話でなら、思い出しながら話すのはありなんですけどね。公の場で「空想目線」が多くなると、心ここにあらずと思われて信用を損ねますから、要注意です。

鉄壁の「つかみ」を用意しよう！聞き手に問いかけるのもアリ

人の第一印象が大事なように、話し始めの「つかみ」も大事だと思っているのですが、いつもぎこちなくて……。何かコツはありますか？

「話し始め」の印象が良いと、聞き手が興味を持ってくれて、そのあとの話がしやすくなりますからね。

そうなんです。でも、話の冒頭っていうと、無難な天気の話になりがちで……。

それももちろん悪くないけれど、天気にさらっと触れるぐらいでは、つかみとしては、確かに弱いかもしれませんね。あと、話す内容もさることながら、まず最初に心持ち微笑んでください。

いやいや。それが難しい‼

慣れとか練習もありますが、「こんにちは」や「ようこそ」を、**心を込めて伝えると自然と微笑んでます**から、そんなに難しいことではありません。

ちゃんと気持ちがあれば、表情も変わるってことですね。

そう。まず、「聞き手と一緒に楽しみたい」と思うことが大事です。それから、質問型にして、聞き手に投げかけてみるのも良いですよ。「みなさん、こんにちは。今日は4章の話です。ところで、前回は何を話したか覚えてますか？」って。

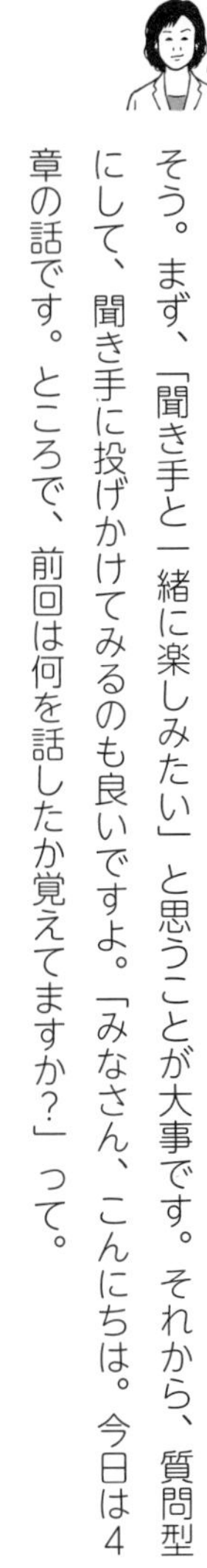

あ〜‼　目が覚める！

「忘れちゃいましたか？　実は今日話すところは、前回と関係があるんですが、前回は声の話でしたよね」とかね。**呼びかけ&問いかけの質問スタートは、結構使えます。**

なるほど。他にも「これをしゃべればまず大丈夫！」という定番のつかみがあれば、お願いします。

つかみとは限らないんですが、**自分の失敗談は重宝しますから用意しておくと良い**でしょう。

例えば？

私が大学で初授業のとき、自己紹介などで良くこの話をします。

「大勢の前で話をするのが苦手な人はどれくらいいますか？　そうですよね。失敗して恥をかくのはいやですよね。私は長く放送の仕事をしていますから、ときどきとんでもないことをやってしまいます。みなさんは、レミオロメンというバンドをご存じでしょうか。私は以前、彼らのCDをかけるときに、『レミオメロンです！』って公共の電波で堂々と言ってしまったことがあります。そのあと、どうなったかというと……」

で、どうなったんですか⁉

ご想像の通り、苦情の電話がたくさん来ました。今は笑って話せますが、当時は本当に落ち込みました。しばらく報道に行って、音楽番組に戻ってきたところだったんです。もう、知らないバンドばかり。この番組は降りた方が良いんじゃないかなと真剣に思いました。

そうはされなかったんですね？

次の週に訂正を出して、事なきを得ました。苦情の電話もピタッと止まりました。

それまでずっと来ていたんですか？

ちょっと盛ってますけどね（笑）。今思うのは、本当にあのときに辞めなくて良かったたってことです。もしあそこで辞めていたら、私は一生、「レミオメロンで失敗したアナウンサー」と言われてしまいますから。

そんなあ〜。

「だれもが、どこかでいろんな失敗をすることはあると思うんです。でも、大丈夫です。たいていの失敗は、乗り越えられます。話に消しゴムは効きませんが、訂正はできます」……みたいなことを自己紹介で言うと、みんな良く聞いてくれます。

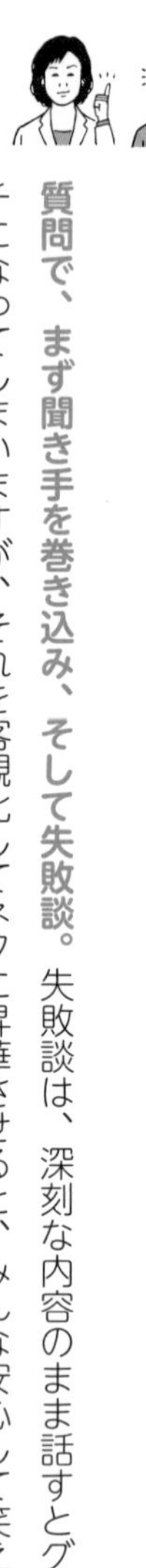

なるほど。失敗談を自分のネタとして持っておくのは良さそうですね。

質問で、まず聞き手を巻き込み、そして失敗談。失敗談は、深刻な内容のまま話すとグチになってしまいますが、それを客観化してネタに昇華させると、みんな安心して笑えて、聞き手の心の中に種が残るものになります。**話し手の自慢でないことは、意外に聞き手に良い印象で残ることが多いんです。**

なんだか、打ち明けてくれた先生に親しみを感じます。

話の冒頭からオープンマインドで話せたら、あとは怖いものはありません（笑）。

「締め」の言葉さえ、決めておけば大丈夫

つかみも重要なら、最後の締めも重要ですよね。カッコ良く締めるコツってありますか？

あらあら、**「カッコ良く」は自分目線ですよ。**

あっ、また（汗）。

「気持ち良く」とか「楽しく」終わるには、って考えてね。まずは、そこ（笑）。

はい！

締めのコツは、全体を通して伝えたいメッセージと「最後はここに」という着地点をあ

らかじめ考えておくことです。

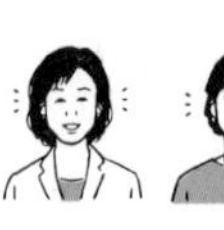

着地がビシっと決まるとカッコ良いですものね。

また、カッコ良いですか(笑)。それはそうと、締めの言葉は事前に用意した方が良いです。もしかしたら、結果として違うことを言うこともあるかもしれませんが、そもそも締めの言葉がないと、全体の構成も組み立てられませんよね。

確かに！

最後の方で、「どうですか？　今日の話のなかで、ひとつくらい使えそうなものはありましたか？」と質問するのもありです。ポイントを繰り返すのも良いかもしれません。

そんな風に質問されると、聞き手は「参加したな」っていう満足感みたいなものを得られますね。

話全体の結論を、独り占めしないことです。聞き手を圧倒するのではなく、共感・納得が得られるようにするのがコツですね。

共感が得られなかったら？

聞き手がね、反論することがあっても良いんですよ。それは相手の心になんらかの種をまいたことになるでしょ。

なるほど。

「……あなたはどう思いますか？」と、問いかけで終わるのも良いかもしれません。

それは確かに、究極の種まきの締めかも！

第4章

まとめ

❶話すことを原稿またはメモに。それを声に出してみると、聞き手がつまらないと感じるところがちゃんとわかる。

❷絶妙の「間」が存在感を生む。心の中で数をカウントする練習を。

❸聞き手への配慮や尊敬があれば、変な語尾上げは生まれないはず。

❹まずは、アイコンタクト。会場の最も遠くの一人に目線を。声は見たところに届く。

❺まず質問で聞き手を巻き込み、失敗談でひきつける。

❻話全体の結論を独り占めしない。聞き手の共感・納得が得られるように。

彩子先生の脱話し下手コラム 4

聞かせる・魅了する1分間スピーチのツボ

朝礼やミーティングで、１分間の自己紹介や３分間のスピーチを求められることはよくありますが、短い話は意外と難しいものです。１時間のプレゼンよりも難しいかもしれません。**１時間のプレゼンが長時間のジョギングなら、短いスピーチは全力で走る短距離走のようなものです。**無駄なことは一言も言えません。

「スピーチ構成シート」を用意しよう

１分間で話せるのは、原稿でいうと３００字からせいぜい４００字程度です。もし原稿を用意するなら、多少のアドリブの余裕を残して、３００字程度がベストです。あれもこれもと欲張れません。中心の話題はひとつだけです。そのひとつのために、まずはいくつも材料を集め、そこから絞り込んでいきます。**私は新人時代に「取材で10の材料を集めて、9を捨てろ。残ったひとつが使えるネタ」**と教えられました。

麻由美さんとのレッスンでも出てきましたが、大学の初回の授業で自己紹介をするとき、私はよく、あるバンドの名前を間違ったという失敗談を披露します。内容を整理すると、「①挨拶→②名前→③テーマへのつなぎ（なくても可）→④テーマ（具体的なエピソード）→⑤テーマのまとめ（なくても可）→⑥まとめ」となります。

もう少し詳しく見ていきましょう。

自己紹介ですから、まず初対面の挨拶をし、名前を名乗ります。これが①②に相当します。

次にテーマにつなぐための話をします。「人前で話すのが好きですか？

1分間の自己紹介の例

はじめまして。(❶) 深沢彩子です。(❷) 皆さんは、人前で話すのが好きですか？ 失敗しそうでこわいという人も多いですよね。(❸) 私もこれまでにたくさん失敗をしました。例えば…私はラジオで、レミオロメンというバンドのCDを、「レミオメロンの新曲です！」と紹介してしまったことがあるんです。間違いを指摘する電話がかかってきて、とても落ち込み、仕事を辞めたくなりました。でも翌週の放送で訂正したら、電話は止まりました。辞めなくて本当に良かったです！(❹) 確かに話し言葉には、消しゴムは効きません。でも、訂正はできるんですね。そして、たいていのことは、訂正すれば済みます。(❺) ですから、失敗を恐れずに、皆さんも思い切ってスピーチに挑戦してくださいね！(❻)

……」というのが、この部分です。③に相当します。ごく短いスピーチなら③を無理に入れる必要はありませんが、ここで聞き手をつかんでおくと、あとが楽です。

そして本題である失敗談の④です。できるだけ具体的に、簡潔に話します。自分の感情もさらっと入れます。いくら客観的な話でも、感情や体験の裏打ちがないと、ただの受け売りになります。

そして、テーマのまとめ⑤と、全体のまとめ⑥です。ここでは聞き手へのメッセージを込めました。できればポジティブな方向で話を終えたいところです。

このような流れを、私はスピーチの構成シートを作って準備することが多いです。このコラムの最後に構成シートの一例をつけました。「テーマへのつなぎ」「テーマのまとめ」は省いても構いませんので、参考にしてください。中身は箇条書き程度で十分です。

自己紹介によくあるのが、出身地、家族、趣味、最近の出来事……と羅列する構成です。でもそれでは結局、何も印象に残らなくなります。特に、複数の人がそれぞれ自己紹介するときに羅列型が続くと、最後には誰が何を話したかがわからなくなります。

短いスピーチにこそ、話し手の実力があらわれる

特に短いスピーチの場合、内容以上に大切なことがあります。どんなスピーチにも言えることですが、**最初の一言を発する前の視覚的な要素、つまり見た目で、話し手の印象はすでに決まりかけている**のです。スピーチが短いと、話の内容で最初の印象をくつがえす時間はありません。ですから、**「姿勢」「表情」「身だしなみ」には気をつけましょう。**

声も大切です。美声でなくて良いのです。聞き手に届くことが大切です。聞いてほしいと本当に思っているかどうかは、マイクを通してもちゃんとわかります。マイクがあってもなくても、まず遠くの一人、それから聞き手の一人ひとりを見て話します。そうすることで一人ひとりに声が届きます。

ところで、声というのは、厳密には言語コミュニケーションとは別なものだということを、ご存知でしょうか。コミュニケーションの要素は、二分割すれば「言語」と「非言語」に分けられます。三分割すれば、「言語」と「非言語」と「周辺言語」です。「声」は、二分割なら「非言語」、三分割なら「周辺言語」に入ります。

人の印象・話の印象は、言語以外でかなりの部分が決まってしまいます。そこで、まず

「非言語」の見た目で聞き手に受け入れてもらい、次に「周辺言語」の声を聞き手に届けて、最後に「言語」そのもので勝負するのです。聞き手の立場に自分を置いてみるとわかりますよね。感じの良い人が、はっきりと聞き取れる声で、中身の濃い話、面白い話、役に立つ話をしてくれたら、言うことありません。

スピーチのツボは、「内容の絞り込み」「見た目」「声」「視線」、そして「聞き手の立場に立つこと」です。1分でも1時間でもスピーチの基本は同じですが、短いスピーチにこそ、話し手の実力があらわれます。短いからと侮らずに、聞き手の立場に立って、しっかりと準備しましょう。

スピーチ構成シート（1分間の自己紹介の場合）

❶ 挨拶

❷ 名前

テーマ（話題をひとつ）

❸ テーマへのつなぎ（なくても可）

❹ 具体的なエピソード

❺ テーマのまとめ（なくても可）

❻ まとめの一言

第5章

相手の心にちゃんと届く言葉の選び方

聞き手の心に思いを届けるには、どんな「話し方」をするかも大事ですが、どんな「言葉」を使い、どう言葉を「つないで」いくかも重要なポイントになると思います。彩子先生、相手の心にちゃんと届く言葉の選び方を教えてください！

敬語がポイントです。

言葉づかいには、話し手の品格が表れる

先生、言葉づかいがその人の品格のようなものを露呈してしまうところがあって、「怖いな」って思うことが良くあります。

普段からその人がどんな生活をしているかまで、透けて見えてしまうようなところがありますよね。

生活といっても、お金持ちかそうでないか、とかではなくて、丁寧に生活しているか、どんな環境で育ったか、というようなことですけれど……。

わかります。

私がブランディングの仕事をしていて面白いなと思うのは、**クライアントさんに品の良い装いに着替えて頂くと、言葉づかいが一瞬で変わる**ところです。それを続けて頂くと、普段の言葉づかいもだんだん変わっていかれます。

興味深いお話ですね。**ドレスが変わると発する言葉が変わるん**ですね。

そうなんです。

逆に、「**言葉のドレスコードを使い分ける**」と発想してみると良いかもしれませんよ。

それって、どういうことですか？

その場と聞いている人に合わせて最適な言葉を使い分けるということです。

例えば？

結婚式に招待されて、デニムでは行きませんよね。逆にロックフェスの会場に、着物やドレスで行く人はいないでしょう?

はい。どちらも場違いですよね。

それと同じで、例えば結婚披露宴で祝辞を述べるときには「○○は、学生時代超ヤバかったんですけど……」なんて言いませんよね。「新郎の○○さんは、意外にも学生時代は少しやんちゃなところがありまして……」などという言い方にするでしょう。これが、「場」と「聞いている人」に合わせて、言葉のドレスコードを考えるということです。

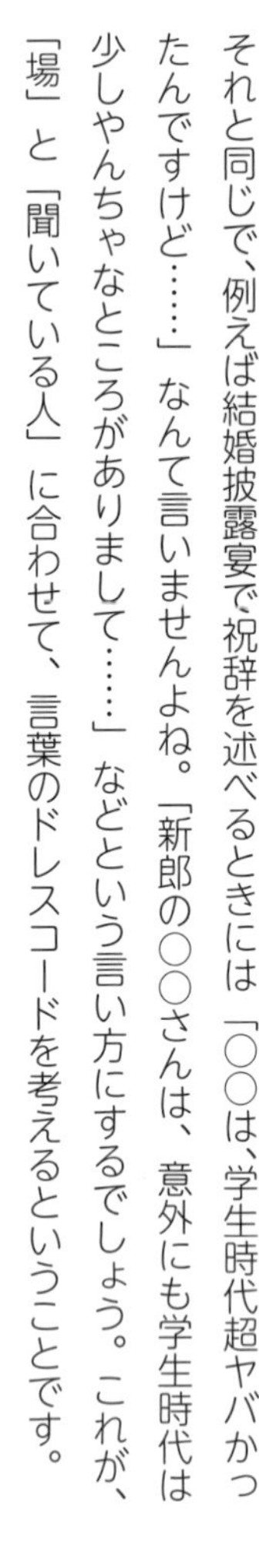

では、言葉のドレスコードを、上質なもの、品あるものにしていくにはどうしたら良いのですか?

敬語の達人になることです。

ドキッ…。

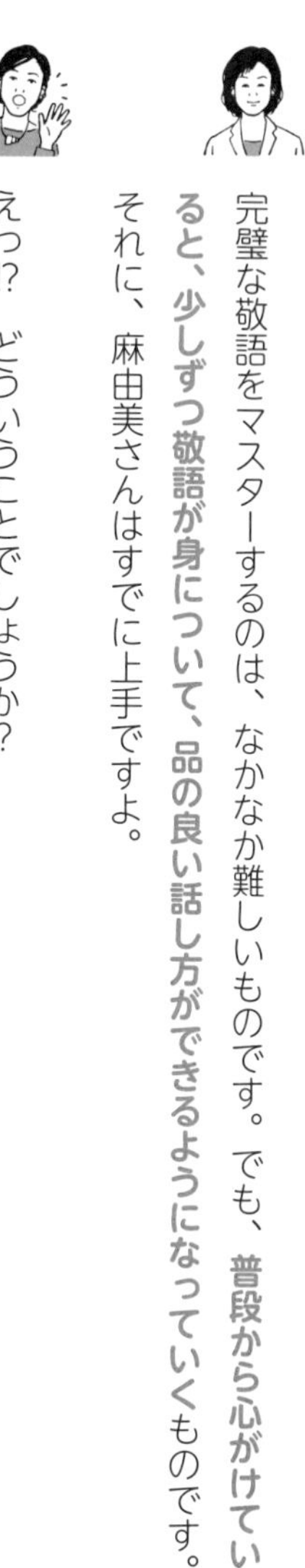

完璧な敬語をマスターするのは、なかなか難しいものです。でも、**普段から心がけていると、少しずつ敬語が身について、品の良い話し方ができるようになっていく**ものです。それに、麻由美さんはすでに上手ですよ。

えっ!?　どういうことでしょうか？

今、「どういうことでしょうか」とおっしゃいましたよね。言葉のドレスコードを意識していないと、「え、どういうこと？」になりますが、「どういうこと」に「でしょうか」がつくことで、すでに上質なドレスコードになっています。

きゃー、超嬉しい!!

あらっ、今、ちょっとドレスダウンしました。

シュン。言葉のドレスコード、難しいです……。

確かに、奥が深いです。

普段からこの言葉を使っていれば、「盤石・万全」というものがあれば、ぜひ教えて頂きたいです。

あらあら……そんな魔法のような言葉が欲しい？

ええ、欲しいです！

でもね、「これさえ使えれば絶対に大丈夫！」と考えるのではなく、「より豊かな言葉を選んで使えるようになるには？」って考える方が良いと思いますよ。

ボキャブラリーを増やすってことですか？

そう。だから読書は大切。**読むことからしか、言葉は豊かにならない**んじゃないでしょうか。

アナウンサーの方たちは、やはり新聞を中心に読まれているのですか？

新聞に限らず、「何でも」です。特に文学作品は言葉が厳選されていますから、私は積極的に読むようにしています。でも文学作品に限らず、本ならなんでもＯＫです。

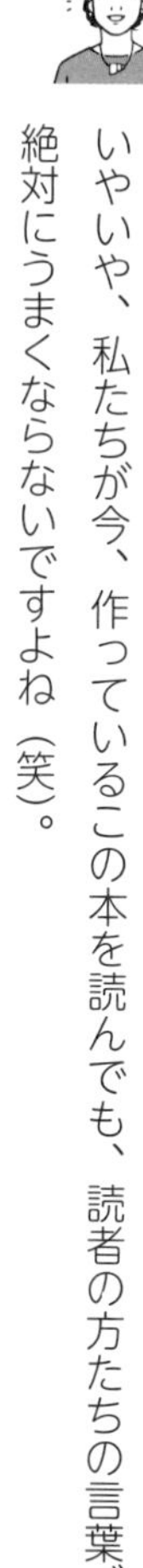

いやいや、私たちが今、作っているこの本を読んでも、読者の方たちの言葉づかいは、絶対にうまくならないですよね（笑）。

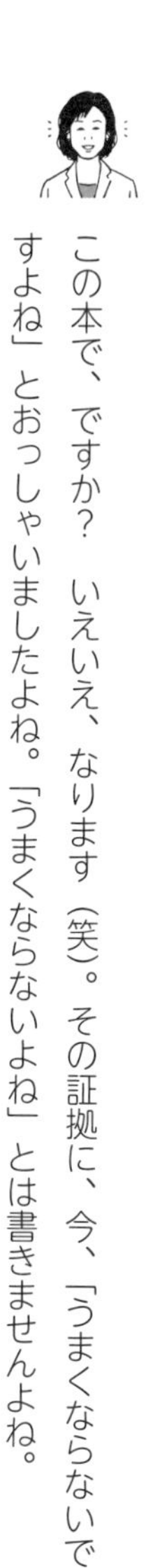

この本で、ですか？　いえいえ、なります（笑）。その証拠に、今、「うまくならないですよね」とおっしゃいましたよね。「うまくならないよね」とは書きませんよね。

ええ。

今も「ええ」で、「だよね〜」ではありませんよね。

はい。

活字になっている言葉は、そもそもある程度のドレスコードをクリアしているんです。

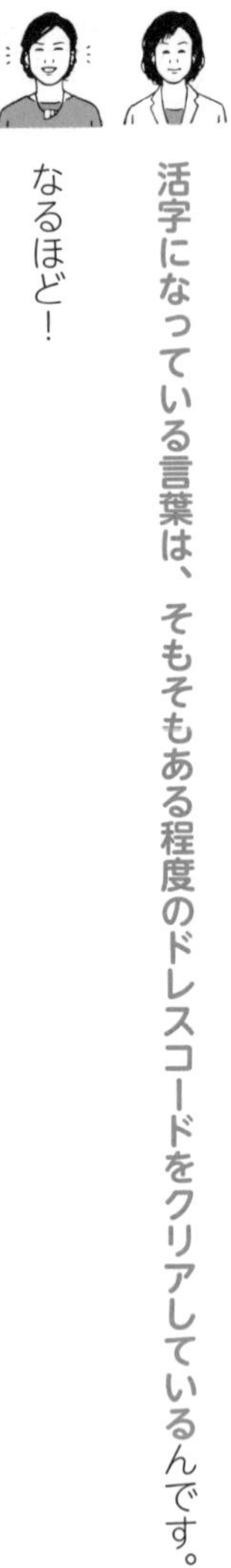

なるほど!

私のところには、「アナウンサーになりたいです」と相談にくる学生さんが結構いらっしゃいます。そういう人が「資料、もらえますか?」って言ってくることがあるんです。

え、先生に?

その人が、ただ単位が取れれば良いと思っている学生さんだったら、「はい、どうぞ」って授業の資料を渡します。でも、アナウンサー試験の相談のときには、「ここにありますよ。でもね、こういうときには『もらえますか?』って、言わない方が良いですよ。面接でそれを言ったら、多分アウトです」と答えます。すると、中には「じゃあ、どう言えば良いんですか?」っていう人も……。

お〜。

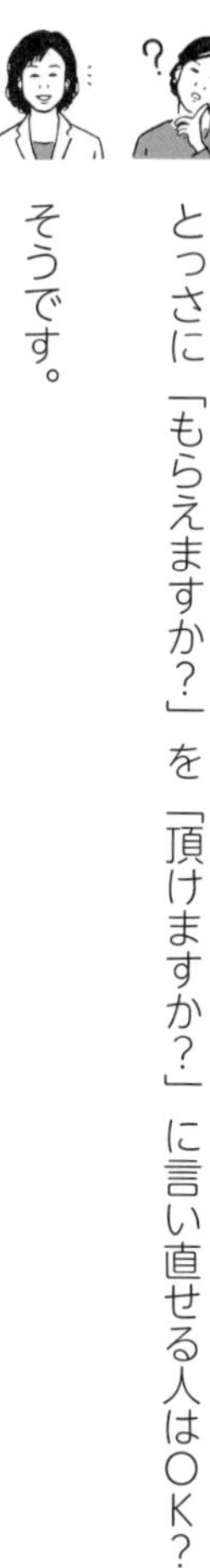

あきらめた方が良いです、そういう人は。……とは、言いませんけれどね（笑）。

とっさに「もらえますか？」を「頂けますか？」に言い直せる人はＯＫ？

そうです。

その引き出しがない人は、難しいってことですね。

せめて、「どう言えば良いでしょうか？」くらいにして欲しいものです。言葉の引き出しっていうのは、クローゼットと同じ。ずっとジーンズで暮らしたい人は、それでも良いのかもしれませんけれど、クローゼットにはよそ行きの服も必要です。

ちなみに、語尾を「ですか」から「でしょうか」に変える以外に、何かありますか？

そうですね。「ください」よりは「頂けますか」の方が良いかな。

それは、どういう違いがあるんでしょうか？

「頂けますか」にすると、質問型になりますが、相手の意思を尊重しているように聞こえませんか？

確かに。その方が気分が良いです。

私も仕事で急ぎの時には、「○月○日までに、お送りください」とか「○月○日までに、お答えください」と伝えてしまいますが、少し余裕があるときは、「○月○日までに、お答え頂けますか」と伝えるようにしています（笑）。

それ、早速、頂きます（笑）。

多用される二重敬語。あなたは大丈夫？

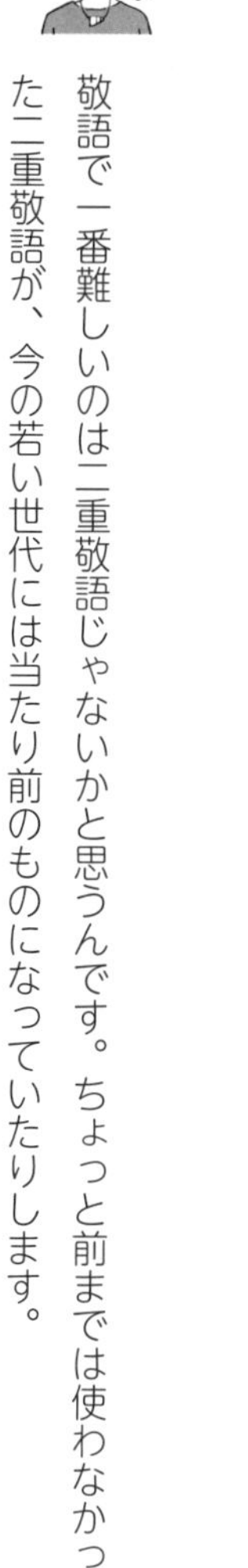

敬語で一番難しいのは二重敬語じゃないかと思うんです。ちょっと前までは使わなかった二重敬語が、今の若い世代には当たり前のものになっていたりします。

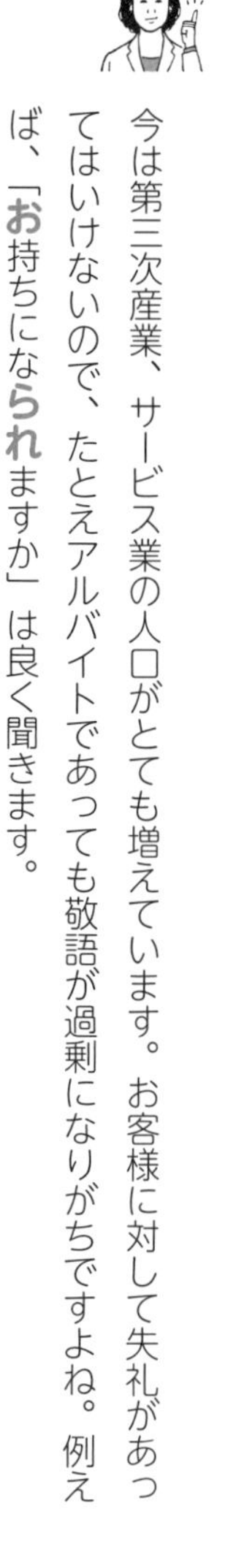

今は第三次産業、サービス業の人口がとても増えています。お客様に対して失礼があってはいけないので、たとえアルバイトであっても敬語が過剰になりがちですよね。例えば、「**お**持ちにな**られ**ますか」は良く聞きます。

……これ、私も使ってます（汗）。

「な**られ**」がつくと二重敬語。「お持ちになりますか」で良いのですけれどね。

他にも過剰な敬語はありますか？

「〜させて頂いても、よろしいでしょうか」も、まわりくどい感じがしますね。

それ、使っている人が多いかも！

的確な敬語を使えるのがベストです。あまり過剰に敬語を使っていると、今度は慇懃無礼。「へりくだっているふりをしているだけじゃないか？」「立場上そう言っているだけで、本当に敬意があるのかな？」って思うこともありますよね。

わかります。

敬語には相手と距離をとる、つまり相手を遠ざける働きもあります。親しい人が急に丁寧な言葉づかいになったら、ちょっと身構えますよね。

確かに。

「昨日は随分遅くお帰りになったんですね」なんて奥さんに言われたら……。

今、夫のおびえた顔が浮かびました（笑）。

「**お**考えを**お**聞かせ**頂け**ますか?」も、誰が誰に言うかで、ニュアンスが変わりますよね。

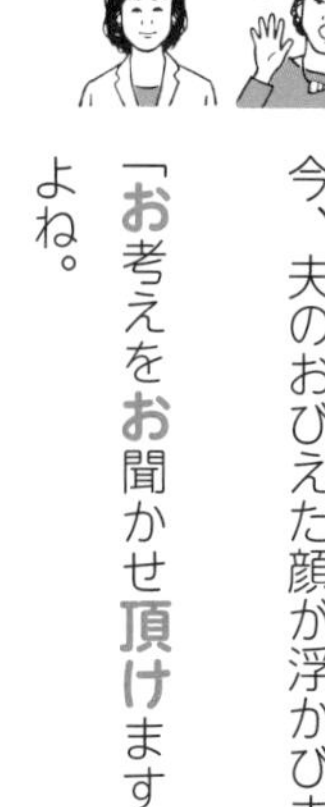

目上の方には、そう言った方が安心なような……。

目上の方に言うならOKです。でも、もっと簡潔に「先生の**お**考えを、聞かせて**頂け**ますか?」でも、「先生の考えを、**お**聞かせ**頂け**ますか?」でも良いですね。

なるほど、すっきりしていますね。

逆に、もし上の立場から下の立場の人に「君の**お**考えを**お**聞かせ**頂け**ますか?」なんて言ったら、この後、何かすごいことが起こりそうですよね。

部下は震えちゃいます（笑）。

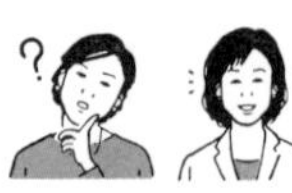

でしょ（笑）。

文法上、NGではないんですか？

絶対ダメではないところがややこしいですね。日本の敬語は主に関係性で判断しなくてはならないので。

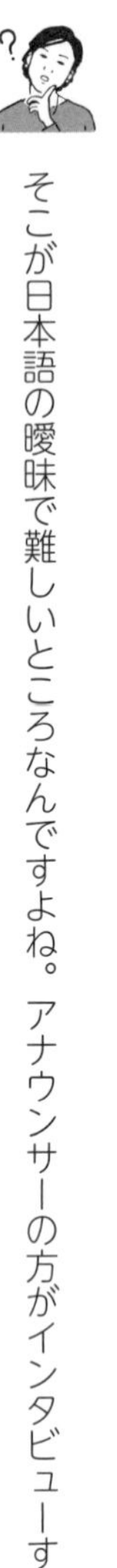

そこが日本語の曖昧で難しいところなんですよね。アナウンサーの方がインタビューするときも相当気を使われますよね。もし相手が総理大臣だったら？

例えば「総理のお考えを……」って言ったら、「聞かせてください」くらいでやめます。

「お考えを」「お聞かせ」「頂けますか」と重ねたら、なにやら忖度が始まりそうな（笑）。

そうなんです。例えば、番組で流れないところで総理に忌憚なく話してもらおうっていうときには、「お考えをお聞かせ頂けますか？」でもＯＫです。けれど、スタジオで放送中にインタビュアーがそう言ってしまうと、そこで上下関係が感じ取られ、番組や放送局の意図が疑われます。

なるほど。

「番組でよってたかってこの人を大事にしているけれど、視聴者に対してはどうなの」って思われてしまうと、大変なことになります。

とても怖いと思います。そこで伝えるべきこと、伝わるべきことが変わってしまうわけですね。

私が放送局に入って間もない頃に教わったのが、「先生」といわれる職業の人への対応でした。

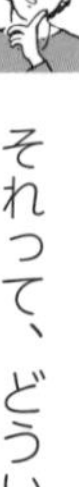

それって、どういうことですか？

学校の先生も、お医者さんも、政治家も「先生」ですよね。小説家や、作詞・作曲家も、業界では「先生」です。でも、番組内で「先生」と呼んで良いのは、医師と教師だけだと、言われました。

そうなんですか！　知りませんでした……。

だからと言って、普段から「先生」と呼ばれ慣れている人のところに新米アナウンサーが行って、いきなり「○○さん」って呼びかけたら、イヤな感じでしょう？

確かに。では、どうするんですか？

打ち合わせでは、「先生」「先生」と言って持ち上げなさい。けれど、本番では言わないようにって教わりました。そうすると、ご本人はもうちゃんと「先生」って言われているから、イヤな感じがしないって。

ま、まさに人間の本質をついてます!!

ところで麻由美さん、待遇表現って聞いたことありますか？　尊敬する相手がやって来たら、敬語を使って「いらっしゃいました」って言いますよね。では、とってもとって〜もイヤな相手が来たら？

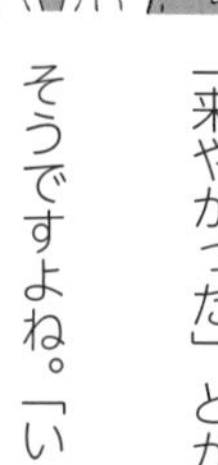

「来やがった」とか？

そうですよね。「いらっしゃる」も「来やがる」も、同じ「来る」ということです。相手によって待遇を変えているから、言い方も変わってくるわけです。だから、どちらも待遇表現。敬語って、待遇表現の一部なんです。

そう考えると、敬語って人間くさい言葉なんですね。

使いこなせるようになりたい！敬語の上級編って!?

敬語を難しくさせているのは、敬語にいくつもの種類と段階があるからですよね。

そうですね。**種類で言えば、相手などを高める尊敬語、自分がへりくだる謙譲語、それに「〜だ」を「〜です」や「〜でございます」と言い換えたりする丁寧語があります。**

尊敬語だけでも何段階かあって、例えば、「この本、読まれましたか?」とか……。あら、麻由美さん？　この言い方、もしかして使いますか?

え〜、NGですか?（汗）。頻繁に使っていますが……。

NGではないですが、「お読みになりましたか?」の方が良いですね。

敬語の基本を覚えよう!

尊敬語 相手を直接高める表現
(例:いらっしゃる)

謙譲語 自分がへりくだることにより、相手を高める表現
(例:まいる)

丁寧語 丁寧に表現することで敬意をあらわす
(例:お+名詞、ご+名詞、〜です、〜ます)

尊敬語・謙譲語の使い分け

	尊敬語(上司が、先生がetc)	謙譲語(私がetc)
行く	いらっしゃる	まいる、伺う
来る	いらっしゃる	まいる、伺う
いる	いらっしゃる	おる
言う(話す)	おっしゃる、(お話しになる)	申す、申し上げる
聞く	(お聞きになる)	伺う、拝聴する
見る	(ご覧になる)	拝見する
読む	(お読みになる)	拝読する
与える、やる	(お与えになる)	あげる、差しあげる
もらう	(お納めになる)	頂く
くれる	くださる	-
食べる	召し上がる	頂く
知る	(お知りになる、ご存知)	存じる、存じあげる
着る	召される、お召しになる	(着させて頂く)
する	なさる、される	いたす
多くの動詞	お(ご)〜になる、〜れる、〜される	お(ご)〜する、お(ご)〜いたす、〜させて頂く

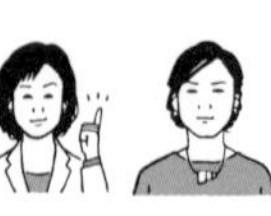

あっ。確かにその方が美しいです。

「読まれる」「食べられる」のような**「〜れる・〜られる」型というのは、敬語の一番簡略な型**なんです。それよりも**「お〜になる」の方が、尊敬語として格上の印象**ですよね。そして、**「食べる」から「召し上がる」に、単語を入れ替えるとより丁寧な上級編の尊敬語**になります。①「食べる」→②「食べられる」→③「お食べになる」→④「召し上がる」と、尊敬の度合いがあがっていきます。

そう考えると、わかりやすいですね。

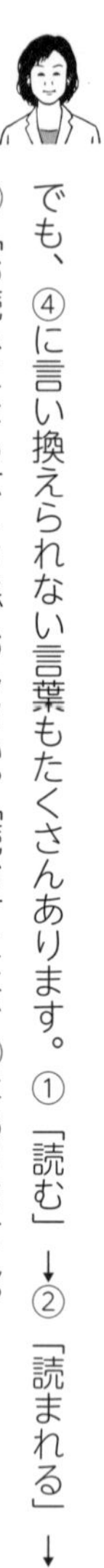

でも、④に言い換えられない言葉もたくさんあります。①「読む」→②「読まれる」→③「お読みになる」、ここでおしまい。「読む」には、④はありません。

おー。

例えば、「言う」の④に相当する上級編の尊敬語は「おっしゃる」。一番簡略型の②に相当する尊敬語だと「言われる」。でも、「言われる」って、尊敬語なのか、受け身なのか、これだけではわかりませんよね？　もし受け身なら、誰かから何か言われるということですから、全然意味が違います。

確かに。

「食べる」の上級編を使って「お客様が召し上がる」と言えば、間違いなく尊敬語です。でも簡略型は「お客様が食べられる」。これだと「食べることができる」という可能型かもしれませんし、もしこれが受け身だと誤解されたら大変なことになりますね（笑）。

恐竜とか（笑）。でも、簡略型の敬語は、若い人が使いがちかもしれませんね。

言葉を入れ替えるよりも楽なんです。単語として適切な言い換えができない人が多くなってきていると思います。

「食べられる」「お食べになる」じゃなくて、「召し上がる」という変換ですね。

そうです。「お客様が、明日3時に『来られます』」より「いらっしゃいます」または「お越しになります」の方が良いですね。「来られる」は、受け身にも、それから「来ることができる」という可能型でも使われますから。

「来られます」って、あちこちの職場で頻繁に使われていると思います。

多いですよね。「来ます」よりは良いんですよ。でも、「いらっしゃいます」のように、適切な単語に入れ替えるのが上級編です。

「明日、お客様がお越しになられます」はOKですか？

「お越しに」「なられます」まで言うと、今度は二重敬語ですよね。

そうでした。「お越しになります」ですね！

それでOKです。

そういえば、今朝、ある編集者から「校正原稿をお送りさせて頂く」っていうメールが届いていたのですが、これはどうですか?

二重敬語なので、本来は「お送りします」「お送り致します」で良いですね。

「**お伺いさせて頂きます**」は?

「伺います」ですよね。「伺う」は、「行く」の謙譲語ですから。謙譲語に、「させて頂く」をさらにつけると、ちょっとしつこい感じですね（笑）。「伺わ

目上の人（上司、客、教師など）に話す場合、どう言い換えたら良いでしょうか?

① 明日、○○へ行きますか?	⑪ さっき食べました。
② 私が行きます。	⑫ もう読みましたか?
③ 私がやります。	⑬ その仕事はもうしました。
④ もう聞きましたか?	⑭ 私が持ちます。
⑤ 知っていましたか?	⑮（相手の）荷物を持ちましょうか。
⑥ その話は聞きました。	⑯ 荷物を自分で持ちますか?
⑦ その件は聞いていません。	⑰（相手の）荷物を見ます。
⑧ その人のことは知りません。	⑱（相手が書いた）手紙、読みました。
⑨ ○○さんを知っていますか?	⑲（相手が作った）料理、美味しく食べました。
⑩ どうぞ食べてください。	⑳ 説明します。

※解答例は199ページ。

させて頂きます」や「読まさせて頂きます」と「さ」まで入れて言う人も最近はいますけど、文法的にもおかしいですね。謙譲語を全部「サセテイタダク」にするのは、ちょっと安直な印象を受けますね。

アナウンサーの方はどうやって尊敬語・謙譲語の正しい使い方を学んでいかれるのですか？

就職する前に身につけています、多分。もし苦手なら、必死で努力すると思います。敬語って、小さいときから慣れている人は別に考えなくてもできるんですが、大人になってから覚えようとするとなかなか難しいところがあります。地方によっては敬語の使い方が共通語とは違ったり、敬語表現を使うとよそよそしかったり、気取っている感じになったりもしますから。習慣って難しいですね。

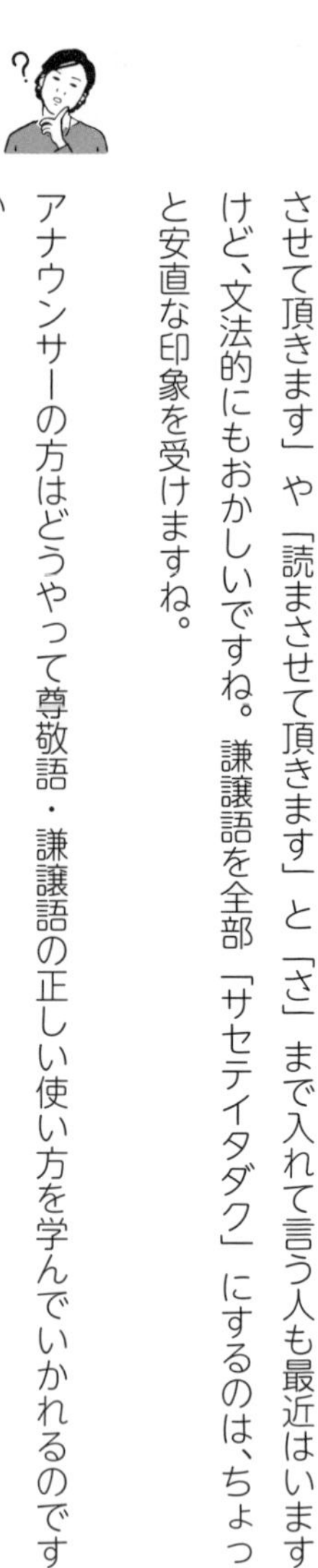

地方って例えば関西弁？

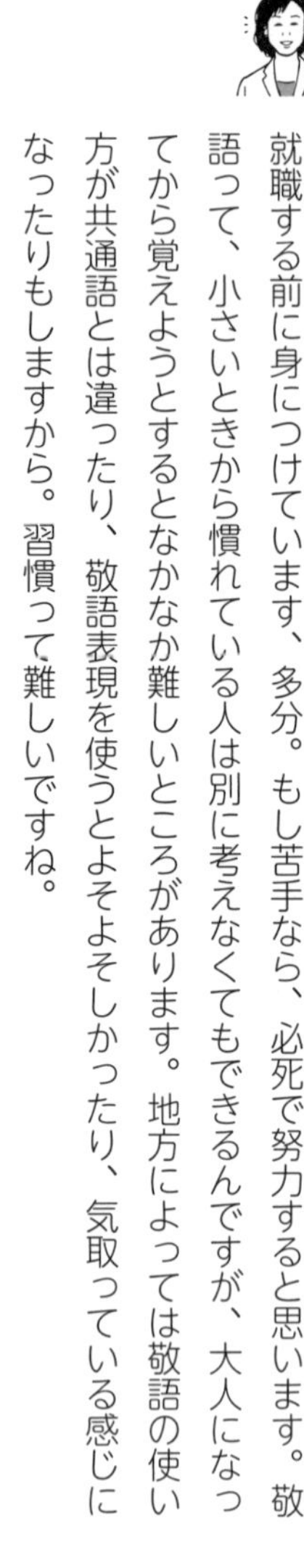

関西を中心にした地域では、「お客様がそちらにおられます」を敬語表現として使いま

すよね。「おる」という言葉は、現代の共通語の感覚だと「私がここにおります」というように謙譲語で、「られる」は尊敬語。謙譲語と尊敬語のねじれが起きているわけです。共通語的に言うと、「おられる」よりも「いらっしゃる」の方が通ると思います。

私は関西出身なので、新卒で入った会社の秘書時代、「お客様がすでにお待ちになっておられます」って頻繁に使っていました。

それが間違いとは言い切れませんが、「おられる」を尊敬語として使うことに、違和感をもつ人が多いという調査結果もあります。

「今日、どうしておられますか?」も良く使いますが、「どうなさっていますか?」の方が良いですか?

ええ。あるいは「どうしていらっしゃいますか?」ですね。

関西弁とも気づかずに使っていました。

ところで、「お待ちになる」と「お待ちする」、これらを混乱している人も多いです。相手が待つのか、自分が相手を待つのか、違いがわかりますか？

ええっと……（汗）。

「お待ちになる」は、相手が待つ、ということですよね。「お待ちする」は、自分が待つということです。会社の受付係がお客様に「間もなく○○がまいります。こちらでお待ちになりますか？」。客が「はい。ここでお待ちします」という具合です。

なるほど。わかります。

それから、時代劇では、例えば「殿はお城におられる」なんて台詞を、尊敬語的に使います。でも先ほど言ったように「おる」は、現代の感覚では謙譲語なんです。現代の社会では使わない方が無難です。

「申される」っていう言葉も？

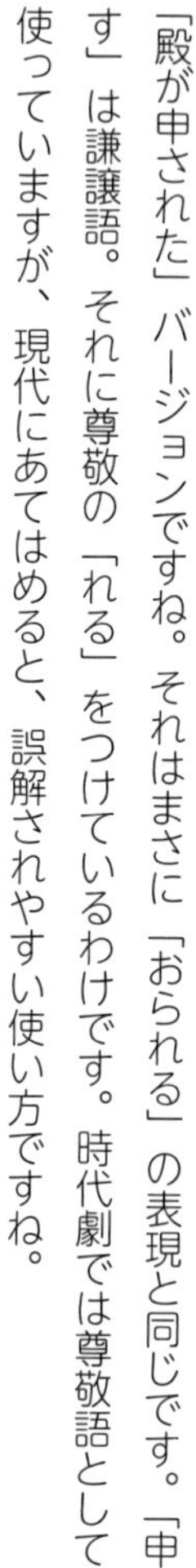

「殿が申された」バージョンですね。それはまさに「おられる」の表現と同じです。「申す」は謙譲語。それに尊敬の「れる」をつけているわけです。時代劇では尊敬語として使っていますが、現代にあてはめると、誤解されやすい使い方ですね。

時代によっても、地域によっても、敬語の感覚は変わるんですね。

そうですね。今使われている敬語が、百年後に「なんか変」って思われる可能性は大いにあります。

う～ん。やっぱり難しいです。

そもそも日本語の敬語は相対的なんです。例えば、日本語では父親に対しては「お父様はそうおっしゃいますけれど」と言いますが、友だちに「うちのお父さんはこうおっしゃった」とは、言いませんよね。

「こう言った」とか、相手が目上の人なら「父はこう申しました」とか……。

ちなみに、韓国語の敬語は絶対敬語で、どこでも誰に対しても、父親が言ったなら「おっしゃった」になります。そういうルールにのっとって言葉づかいが決まっていきます。それに対して**日本語は、相対的な人間関係の中で決まっていきます。上下関係による視点と、内外（うちそと）の関係による視点がある**んですね。

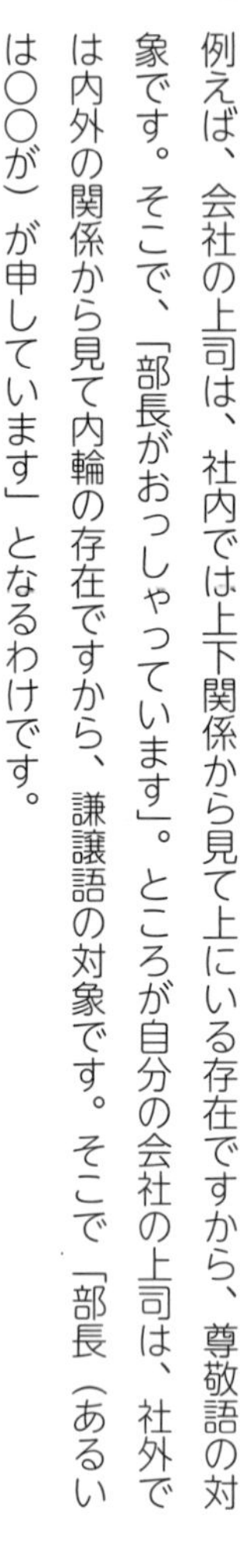

それって、どういうことですか？

例えば、会社の上司は、社内では上下関係から見て上にいる存在ですから、尊敬語の対象です。そこで、「部長がおっしゃっています」。ところが自分の会社の上司は、社外では内外の関係から見て内輪の存在ですから、謙譲語の対象です。そこで「部長（あるいは○○が）が申しています」となるわけです。

なるほど、「上下」のほかに「内外」があるから複雑なんですね。

そうなんです。だからあんまり過剰に敬語を使うと、かえってよそよそしい感じになって、相手が緊張してしまったり、距離を置かれている感じがしたり、ということもあります。

いろいろと面倒ですね。いっそのこと面倒な敬語なんて使わずに、「言葉をドレスダウンしたままで良いや！」って若い世代からの声が聞こえてきそうです（笑）。

いやいや、そこはやはり、衣装持ちにならないと！　言葉の引き出しを増やして、その場にふさわしい言葉がさっと出せたら、カッコ良いですよね。イブニングドレスを着こなせる人は、多分デニムでもOKですが、デニムしか着ていない人に、イブニングドレスはなかなか着こなせませ

193ページの言い換え問題の解答例

① 明日、○○へいらっしゃいますか。
② 私（わたし・わたくし）がまいります。
③ 私がいたします。
④ もうお聞きになりましたか？
⑤ ご存知でしたか？
⑥ その（お）話は伺いました。
⑦ その件は伺っていません。
⑧ その方のことは存じ（上げ）ません。
⑨ ○○さんをご存知ですか？
⑩ どうぞ召し上がってください。
⑪ 先ほど頂きました。
⑫ もうお読みになりましたか？
⑬ その仕事はもういたしました。
⑭ 私がお持ちします。
⑮ お荷物をお持ちしましょうか。
⑯ お荷物を（ご自分で）お持ちになりますか。
⑰ お荷物を拝見します。
⑱ お手紙、拝読しました。
⑲ お料理、美味しく頂きました。
⑳ （ご）説明いたします。

んからね。

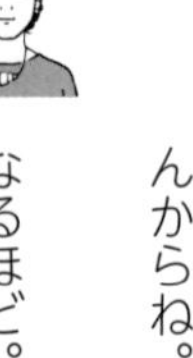

なるほど。

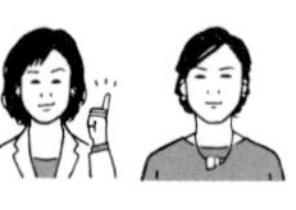

それからね、敬語も言葉も、時代とともに変わるんです。これも服装と同じですね。だから、絶対的に正しい言葉づかいがあるというわけではないんです。言葉に敏感になって、どんな言葉が今使われているのか、その言葉を自分は使うべきなのかを考える習慣をつけるといいですね。流行のファッションをチェックしながら、自分に合ったもの、ＴＰＯに合うものを選ぶのと同じです。それができる人は、イブニングドレスも似合うはずですよ。

私も、イブニングドレスを着こなせるよう、がんばりまーす！

「〜けれども」「〜ですが」……無意味な接続詞の連続はNG

私も含めてですが、女性にありがちな、話がダラダラ続いて、「何を言ってるのかわからない！」というイライラするパターンについて教えてください。

例えば、こんな感じでしょ。男性にもいそうですけど（笑）。

「実は今朝寝坊して、仕事に遅れそうだから朝食を食べずに出てきたんですが、もうお腹がペコペコで、お昼はいっぱい食べたいけど、行きたい店決まってないし、だから決めて欲しいんだけど、でも、お金ないし……」

そうです、そうです！　延々と続く感じで話す人。

接続詞を無意味に多用して文をつなげると、何が言いたいのか良くわからない話になりがちです。

それに聞いていてしんどいですし、聞き手が会話に入れません。

なんだか時間を奪われた感覚にもなります。

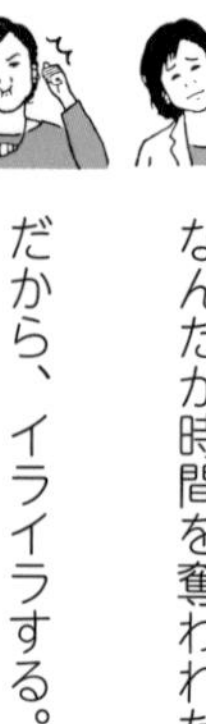

だから、イライラする。

そう。

ちなみに、「え〜っと」っていうのは、接続詞ではなくて、なんですか？

いわゆるフィラー、詰め物ですね。言語学の世界ではフィラーという言い方をしています。

「あの～」とかも？

そうです。「う～ん」とかも。同意ではなくて考えながら「そうですね～」なんていうのも、一種のフィラーですね。話の中身以外のつなぎ言葉です。

フィラーが多いのも、人の話を聞いていて気になる点です。でも、ラジオのパーソナリティーの方でも新人さんはフィラーが多いと感じますが、あれは注意されたりするんですか？

はい。**日常会話では全くフィラーなしで話すと、逆にちょっと息が詰まるかもしれません。**でも、放送って秒単位で売っているわけで、時間分、お金が発生しています。ですからできるだけ無駄な言葉は減らします。普段の個人的な会話で「そうねぇ……。今日はだいたい一時くらいに終わると思うんだけど」というのは、別に構いませんが、メディアを使ってそれをやられると誰もがイラッとします。

確かに！　ところで接続詞が多いと、話が切れない以外に何がNGなんですか？

無駄な接続語、特に「～けれど」や「～が」多いと、話が長くなってテーマがぼやけます。

短文を意識した方が良い？

そうですね。短い方が聞いていてわかりやすいです。例えば、私が自己紹介をするとしましょう。「深沢と申します。フリーのアナウンサーの仕事をしています。今日はここで話し方というテーマでお伝えします」。今、3つテーマがありました。これを「深沢と申します**けれど**、仕事はフリーのアナウンサーな**んですが**、今日はここで話し方というテーマでお伝えします**ので**……」となると、まだ、続きがありそうですよね。

今の感じ、ＰＴＡのお母さんたちの自己紹介で良くあるパターンです。

「深沢と申しますけれど」と言った時点で、聞き手は「次があるな」って思うんです。そして、「深沢」が頭から飛んじゃいます。

興味が次に行ってしまう、ってことですね。

だから、**残していきたいところは、つないじゃいけない**んです。特に自己紹介はまず名前を覚えてもらうためのものですから、「深沢と申します」と、そこでいったん切った方が良いんです。

主にどんな接続詞に注意したら良いでしょうか？

無意味に重ねがちな接続詞の代表は「〜けれど」「〜（です）が〜」といった、逆接の言葉ですね。逆接というのは「夏ですが肌寒い日が続きます」というように、本来は逆の事柄をつなぐときに使います。私の名前と職業は、別に逆接でつなぐ必要はないのに、「〜けれど、〜が」で、いくらでも文が続いてしまうんです。

ほかにも何かありますか？

「〜て」というのも、文を長くしがちです。これ、接続助詞って言うんですけどね。「今朝起き**て**、会社に行っ**て**、仕事し**て**、家に帰っ**て**、ご飯食べ**て**、寝**て**、翌朝起き**て**〜」と、どこまでも続きます（笑）。「けれども」「そして」「それから」「だから」など、接続詞は逆接も含めて、的確に使えば話がとてもわかりやすくなります。でも悪用すると、何が言いたいのかわからない話になります。

そういえば、電話のとき、「稲垣と申しますけれども、○○さんいらっしゃいますか」と言っています。余計な逆接を使ってました。

まぁ、それぐらいはOKですが、でも、「稲垣と申します。○○さんいらっしゃいますか？」の方が素敵ですよね。

そうですね。余計な接続詞が入ってないか、日々、意識してみると、ちょっと変わってきそうです！

「。」「、」が多いと、突っ込みやすい。だからこそ印象に残る

短文で話すと、相手がうなずくための「間」が取れるというのが大事なことなんです。

おっ、また出てきました。会話の要となる「間」！

そうです（笑）。一文ごとに相手を見れば、相手の理解の度合いも確認できるでしょ。

１・２と数えて間を取りながらアイコンタクトでしたね。

そう、文の切れ目ごとに、対話が生まれているんです。相手が無言であってもね。

先生は普段から、放送以外のときも「。」「、」を意識されているんですか？

かなり短文でしゃべっていると思います。これはずっと意識していますね。昔の小泉総理、進次郎氏のお父さんですが、あの方は一文が短いので有名でした。「みんな一生懸命やっていて、良かったから、ぼく感動したよ」とは言わないんですよね。「良かった！」「感動した！」って。

私たちも、普段からそうした方が良いですか？　「美味しかった！」とか？

いやいや。「とても丁寧に作って頂き、美味しゅうございました」でも良いですよ（笑）。

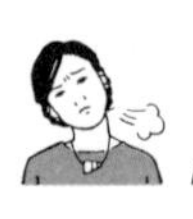

私は、結論が出ていないことを探りながら話すときや、話の内容を詰めていないまま話し出すと、文が長くなります。

それはね、みんな同じです。聞き手との会話ではなく、自分と対話している状態になっているからです。

気持ちの矢印が自分の方に向いている、ってことですね。

面接でね、慣れない学生さんは、面接官から「あなたの長所を話してください」と言われて、「明るいところが長所で、私は学生時代ずっと学級委員をやっていまして、大学では○○のリーダーをいたしまして、いつもみんなを引っ張る立場で、明るさを心がけてきて、明るくて良かったのはあれとこれと、こんなこともありました。御社でもこの明るさで頑張りたいと思います」って。こうなるとちょっと、うるさいでしょ。

いそうですね〜。

「あなたの長所はなんですか？」「明るいところだと思います」「例えば、どんなところ？」「学校ではずっとチームのリーダーをしていました。明るさでみんなを引っ張ってきた自信があります」「え、なんのチームだったの？」「実は、チアリーダーで」とすると……。

あらっ！　対話に参加できる‼

文が短い方が聞き手を引きつけられるんです。「もっと言いたい」くらいでやめておくのがコツです。

そういえば、小泉進次郎さんも、一文が短くて、相手に話させていますね。

あの人は、レポーターがくると、実際に相手に話させますね。

ちょっとずるい！

でもこの場合、ずるいのは良いことなんですよ。相手にも満足感を与えられますからね。

レポーターがファンになってしまう？

そう。でも、レポーターはあれに引っかかっちゃダメ。進次郎さんに話させなくちゃ。

相手との対話。それができる政治家は、あまりいませんか？

いたら大したものです。「話したいなぁ」「参加したいなぁ」っていう気持ちにさせられるのは、その人が話し上手だからです。まあ、後は人格的なものとか、懐が深いとか、

性格的なものもあるかもしれませんけれどね。

第5章
まとめ

❶「場」と「聞いている人」に合わせて、言葉のドレスコードを使い分ける。
❷的確な敬語が使えるとベスト。過剰に敬語を使うと、慇懃無礼。
❸日本語の敬語は、上下関係による視点と、内外（うちそと）関係による視点の、二つで考える。
❹接続詞やフィラーの多用には注意。短文を意識した方が、話はわかりやすくなる。
❺短文で話すと、相手がうなずくための「間」がとれる。短文で話すと、対話に参加できる。

彩子先生の脱話し下手コラム5

文字で読んでわかる言葉・耳で聞いてわかる言葉

書いてあることは何度も読み返せますが、話したことはその場で消えていきます。こちらはちゃんと話したつもりでも、相手は聞き流していたということは、良く起こります。私は放送の仕事を始めた頃に「**10歳の子供が聞いてもわかるように話せ**」と教えられました。子供がわかれば、もちろん大人にもわかります。その内容が充実したものなら、聞き流されず、「聴いて」もらうことができます。そして、相手の中に残ります。これは、「言葉づかい」「構成」「話し方」のすべてに言えることです。

聞いた人がすぐにわかる言葉を選ぶ

文字で読めばわかるのに、音で聞くとわかりにくい言葉があります。スピーチなどに使えるのは、「耳で聞いてわかる言葉」です。聞き違えられるおそれのある言葉や、難しい言葉は、できるだけ避けます。

例えば、放送では、「約」という字は「およそ」と言い換えます。約50人は「およそごじゅうにん」とします。「やくごじゅうにん」と発音すると、「150人」と聞き違える人がいるかもしれないからです。

それから放送では、いわゆるカタカナ言葉や難しい漢語は、できるだけ使わないようにしています。例えば、「トレンド」は「流行」や「傾向」に言い換えます。「フレッシュ」は「新鮮」に。「早急に」や「至急」も「大急ぎで」などと言い換える場合が多いです。

カタカナ言葉や難しい漢字の言葉を使うと、カッコ良く思ってもらえそうな気もしますが、それよりも聞いた人がすぐにわかることの方が大事なのです。

カタカナ語を減らしてみる

私は以前、テレビ番組のレポーターとして、定年後に第二の職業に挑戦している方々を取材していました。ある日、ロケから帰って編集に立ち合っていると、近くで聞いていた先輩が私に、「カタカナが多すぎる」と言いました。私が取材してきたのは、大手メーカーを退職後、長野県でペンション経営を始めた方です。私のレポートはこんな具合でした。

「ヨーロッパ・アルプスを思わせるリゾート地に、しゃれたコテージが立ち並ぶ一郭があり、その中に○○さんのペンションはあります」

確かにこの言葉通りの場所だったのですが、言われてみればカタカナだらけです。

でも、このレポートの一語一語を、カタカナ語を使わずに言い換えるのは、かなり難しいことです。ですから先輩は、「カタカナを全部日本語にしろ」と言ったわけではなく、むしろ問題は、カタカナ語の方が何となくカッコ良さそうだという、私の感覚の方にありました。何もそこで「ヨーロッパ・アルプス」を引き合いに出さなくても、その場所の特徴は伝えられます。もし今、同じ仕事をしたら、私はどんな風にレポートするでしょうか。

「静かな林に小鳥のさえずりが響いています。その林の中の一本道を歩いて行くと……しゃれた建物がいくつか見えてきました！　そのひとつが○○さんのペンションです」と、こんな具合になりそうです。

中身はたいして変わっていませんが、二つのレポートを聞き比べると、印象は随分違うはずです。興味をもった方は、私のカタカナだらけの最初のレポートと、カタカナを減らした後のレポートを、声に出して比べてみてください。後の方が、ずっと言いやすく聞きやすいと思います。

「聴いて」ほしいときに気をつける３つのこと

放送はもちろん、スピーチでも仕事上の会話でも、話の組み立て、つまり構成はできるだけ簡潔に、聞き手の理解と要求に沿った展開にするよう心がけましょう。**結論を先に示した方が、相手の理解を得やすいことが多い**ものです。

例えば、忙しい職場で上司から「あの件はどうなった？」と尋ねられたとき、「昨日取引先の××さんからやっと電話がありまして、先方の会社の会議では……」などとまわりくどく話していると、相手はイライラします。上司が聞きたいのは、その仕事の進捗状況です。「お陰様で解決しそうです。実は昨日、取引先の……」と先に結論を示しておけば、相手は安心して聞いてくれます。つい自分が経験した順に話したくなりますが、相手が何を求めているのか、自分は何を言うべきかを、良く整理しておきましょう。

聞いてすぐ理解してもらうためには、話し方にも気をつけます。聞き手の理解に合わせた速度で、聞き手の反応に合わせた「間」をとるようにします。お互いに良くわかっていることを話すときには、あまりゆっくり話す必要はありません。しかし、新しい話題を出すときには、ゆっくり、はっきり話します。放送のように不特定多数の人が聞いている場合は、聞き手の中で一番理解が難しい人が聞いても、何とかわかるようにと心がけます。

だから、「10歳の子供が聞いてもわかるように話せ」となるのです。

「この言葉は、耳から入ってすぐ理解できるか」「この構成には、無駄がないか」「この話し方は、わかりやすいか」。聞き流されたくない、理解してほしいと思ったら、この3つのことを心がけましょう。

第6章

Webメディア時代の伝え方・話し方

突然テレビで話すことに……なんていうことも、人生にはあるかもしれません。テレビやラジオに限らず、テレビ・ネット会議はもはや当たり前となり、また、ＹｏｕＴｕｂｅに自分が話している姿を録画して投稿するなど、メディアを通じて話す機会はどんどん増えています。テレビやＷｅｂメディアでの「話し方」「映り方」のコツを教えて頂きました！

伝えるポイントは、大胆に、そして細心に。

動画・テレビでの「話し方・映り方」のコツ

いきなりですが、メディアで話すときのコツってありますか？

基本はスピーチや講演と同じです。でも、メディアの方がより「気をつかう」ことは確かです。

気をつかう？

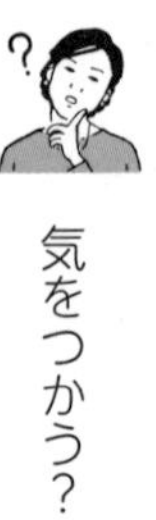

誰がどんな状況で見ているか、聞いているかわからないので、**「視聴者に不快感を与えず、誰が聞いてもわかり、しかも印象に残るように」**と考えます。ポイントは、**大胆にそして細心に話す**ってところですね。

それって、どういうことですか？

「大胆に」の方は「伝えたい」という気持ちを全面的に出すということです。「よかったら聞いてください」くらいの気持ちでは、メディアを通すと誰も聞いてくれません。**声や気持ちを出し惜しみしない**ように、です。

さらに気合いを入れて、ですね！

「細心に」の方は言葉づかいや構成に気をつけるということです。「耳で聞いてわかる言葉」「人を不快にさせない言葉」「わかりやすい構成」を心がけます。

テレビ映り、いや、今なら画面映りっていうのでしょうか？　それも大事ですよね。映りが良くなる方法ってありますか？

ありますよ、もちろん。自然体に見えるのが一番素敵ですが、自然体に見えるためには工夫が必要です。何も工夫をしなければ、「自然に感じ良く」にはなりません。

ありのままでは、自然体にならない？

画面映りを良くするコツは、**一に照明、二に髪型、三・四はなくて、五にメイク**です。とにかく一番大切なのは、ライティング。テレビ出演のときは、照明さんに丁寧に挨拶してくださいね！……と言うのは冗談ですが、上手に照明を当ててもらうと、元気そうに、精悍そうに、もしくは美人に見えます（笑）。**照明が当たる位置を意識して、顔に影が入らないように**してください。

女優さんが、その人専用のライトを用意するって聞いたことがあります。

それ、真実かも……（笑）。

でしたか！　一般の人がテレビに出るときは、専用ライトは持ち込めませんから、まず、照明さんへの挨拶ですね。心得ました！（笑）　でも、そんな専門家がいないとき、例えば、ＹｏｕＴｕｂｅなど自分で録画しなきゃいけないときはどうしたら良いですか？

自分で撮影する場合は、いろいろと照明を試してみてください。手持ちの機材、例えば、スタンドライトやデスクライト、天井からの照明、あらゆるものを使って試してみましょう。そのうえで、何が良いのか、距離は、角度は……と、実際に何通りも試して画面を確認し、「どうすれば一番顔色が良く見えるか？」「どうしたら変な影は出ないか？」と納得いくまでトライしてください。

うーん、面倒くさい……。途中であきらめるかも。

いやいや、ここは粘りどころです（笑）。スマホの自撮りをモニターしながら、スマホの位置を動かしてみるだけでも、照明の変化がわかります。**今や、一度発信されたものは、自分ではなかなか消せない時代です**から。

確かに、怖いです！

でしょ。

次は、「髪型」ですね。

髪型は「スッキリ」を心がけましょう。特に前髪が額にかかりすぎると、影が出て暗い表情に見えます。**男性も女性も、前髪が長い人は軽く流した方が、映りが良くなります。**

眉が見えるくらいが良いんですか？

そうですね。**キレイに整えた眉がほど良く見えると賢そうに見えます**（笑）。そして、耳の横から肩までのラインもスッキリさせましょう。男性もね。話しているときには上半身しか映らないことが多いので、このあたりはとても目立ちます。髪が長い人はボリュームを抑えて、横にふくらみすぎないように髪をまとめる。女性ならハーフアップにするのもおすすめです。

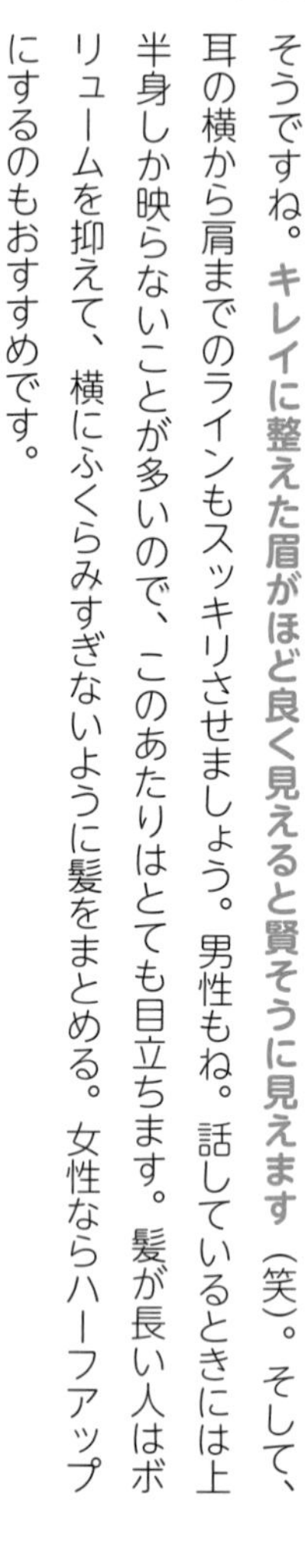

実際に目の前で見ていると気にならないのに、画面を通して見ると、ふくらんだ髪が、ぼさっとした印象になっていたりすることはありますよね。

ロングヘアーにこだわりたい場合は、髪の色は、真っ黒よりはやや明る目の方が良いでしょう。**真っ黒のように強い色は、画面に映ると実際以上に重たく見える**からです。

黒髪のときは、とくにすっきりしたスタイルが大事ですね！　次に「メイク」のコツもお願いします。

テレビのスタジオなどのように強い照明を当てる場所では、「肌は明るく健康的に」が基本です。女性はファンデーションを丁寧に。でも、白塗りにはしないでくださいね。男性も、汗をかきやすい人は軽くパウダーをはたいた方が、良い感じに映ります。男性アナウンサーも、テレビのときは軽くメイクをしています。

肌の色が印象を大きく左右するというのは良くわかります。もうすっかり伝説の話となりましたが、ニクソン大統領とケネディ大統領の討論会の話は有名ですものね。史上初のテレビ討論会でニクソンは薄いスーツに素顔でカメラの前に立ち、ケネディは顔色が良く見えるブルーブラックのスーツにファンデーションを軽く塗った顔でカメラの前に立ちました。すると、それまでニクソン有利だと言われていたのに、一瞬で支持率が逆

転したという話です。日本の政治家もテレビに出演するときやポスターを撮影するときのファンデーションは当たり前となりました。

そうですね。ぱっと画面に映ったときの印象が大事ですから、念入りに。

自撮り動画のときも、ですね。

そうです。最近では動画専用の美肌アプリも出たようです。それから、強い照明に当たると、眉が実際より薄く見えます。ですから、眉はややはっきり目に描きましょう。

男性の眉もですよね。

必要があれば、男性も眉を描き足してください。眉が顔の印象を大きく左右します。その反対に、口紅やアイシャドウなどの、いわゆるポイントメイクの色は控え目に。濃い赤や強いブルーなどは、そこだけが目立ってしまいます。口紅の色は、できるだけナチュラルなものを選ぶようにしましょう。

口紅はグロスぐらいでＯＫですか?

グロスは、人によっては上唇と下唇がくっつきやすく、リップ・ノイズと言われる不要な音が出ることがあるようですから、良く確認しましょう。自分で撮るときは、メイクした顔で画面テストして調整してみてくださいね。

はーい。

それから、何よりも大切なのが、**メディアで話すときも自分目線にはならないこと。**

また、出てきましたね。自分目線!

これ、慣れてきた頃に特に気をつけたほうがいいんです。自分の画面映りばかりを気にしていると、視聴者にすぐバレます。メディアは、話し手の外見や声を自慢する場ではないということを、忘れずにね。

無駄な動きに気をつける。そして効果的に動く

ＹｏｕＴｕｂｅなどを見ていて、とても気になるのが、話しながら上半身がやたらと揺れている人です。前のめりに話すというより、前後だったり、左右だったり。きっと撮影中、本人はそうなっていることに気付いていないんですよね。

体が変に揺れていたり、話の内容とは関係なく手を動かしていたりすると、聞き手は、話の内容よりもそちらの方に注目しちゃいますよね。

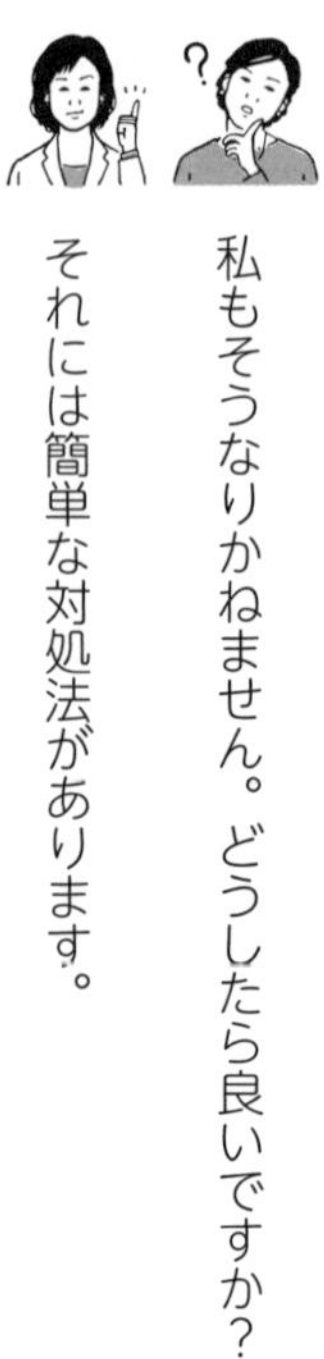

私もそうなりかねません。どうしたら良いですか？

それには簡単な対処法があります。

好印象！動画での「服装選び」のコツ

- 背景との調和を考えて色や柄を選びましょう。

- 肌の色を明るく見せる無地の服が、映りが良いと言われています。女性ならベージュ、ピンク、クリームなど。男性もダークスーツよりは、ワントーン明る目の色の方が軽やかに見えます。

- 自分がホスト役なら控え目な色、ゲスト側ならインパクトの強い色という方法も。一般的には印象の強いプリントより、無地または控えめな柄の服の方が、出演者を引き立てます。

- 白と黒の細かいチェックやストライプなど、コントラストの強い細かい柄は、テレビ画面が乱れるおそれがあります。

- テレビの場合、真っ黒、真っ赤などは、にじんで見えることがあります。真っ白はハレーションを起します。白に見せたいなら、アイボリーやオフホワイトを。

- もこもこしたニットなどは、実際以上にふくらんで見えます。ややかっちりした感じのシルエットや素材の服を選びましょう。

教えてください!!

座っているときは、ももの裏側全体をピタッと椅子に吸い付けちゃうんです。

へぇ〜!

これをやると、身体が揺れなくなります。体が安定して、変な動きにならないんです。**ももの裏側を椅子に密着させ、そこで身体を支えるようなイメージにする**と良いでしょう。

そのとき、つま先やかかとはどんな状態ですか?

かかとはあげず、足の裏全体で床を踏みしめている状態にします。そのためにもまず、椅子の高さを調節しましょう。

なるほど。確かに安定するし、背筋も伸びます!

でしょ。前に乗り出すとしても、腰が支点になって、横にぶれる動きはなくなると思います。

しかも簡単‼

スタジオでは大体座って話しますから、私もいつもかなり意識して身体を使っています。

それは、ラジオのときにも？

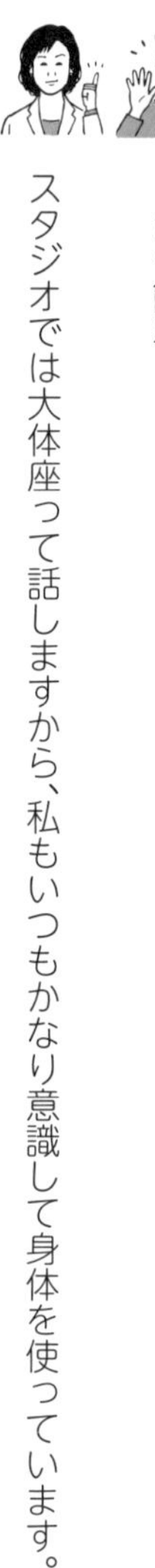

もちろん。**揺れるとマイクとの位置関係が変わるので、声が安定しません。**それに、近づきすぎてマイクを吹いてもいけないので……。

へぇ～。案外アナログ的なところも大事なんですね。

もちろんちょっとは動きますよ。「こんにちは」って言うときには、心持ち頭を下げます。でも、前に乗り出しすぎたりすると、胸が詰まって、声も変わってしまいます。

ということは、放送の時間中、ずっと身体は緊張しているのですか？

いいえ、逆です。身体は緊張しないです。**丹田とももの裏側と足の裏で体を支えていれば、上半身はリラックスできます。**プロの中には、ここ一番のナレーションのときは、より地面を感じるために靴を脱いじゃう人もいます。安定感が何よりも大事なんです。

では、立って話すときは？

足裏をしっかり床につけるイメージで、おヘソの少し下の丹田あたりに重心を置くと、下半身の無駄な動きがなくなります。下半身が安定すると、上半身がまっすぐ上に伸びて、結果的に上半身の無駄な動きもなくなります。

もも裏、足の裏、丹田。この3つを意識すると身体が揺れない！

そうです。丹田のあたりに重心を置くというのは、**おへそのあたりに石臼が入っているようなイメージ**って言ったら伝わりますか？

はい、丹田に石臼ドーン！

無駄な動きを極力減らしましょう。そのうえで、必要な動きは大事にしてくださいね。

必要な動きですか？

「手話」という表現方法があるように、手は多くを語ります。腕から指先までを上手に使えるようになれば良いですね。

それって、どういうことですか？

手でジェスチャーするとき、手のひらをやや外向き、つまりは聞き手側に向けた方が、オープンで若々しい印象になります。

手の向きだけで？　勉強になります！

ひじの角度にも気をつけてくださいね。ひじを外側に張りすぎると威圧的に見えます。また、腕組みは、相手に気持ちを向けていない印象になりがちです。

手首やひじの動きひとつで印象が変わることに、自分が映っている動画をみて初めて気付く人が多いと思います。

そういう意味でも、スマホでも良いので誰かに撮ってもらって自分の癖みたいなものをチェックすると良いですね。あと、手の位置も大事ですよ。

手のひらの向きで聞き手の印象は変わる

手のひらを聞き相手側に開く感じで話すと、オープンで若々しい印象に!

ひじと手首で、内側を抱え込むように話すと、心を開いていない印象に!

どこに置いておくか？　ですか。

座って話すとき、テーブルがあるなら、手は軽く重ねてテーブルの上に。膝の上でも良いですね。また、立って方向を示すときなどは、手を高くあげるとアクティブな印象に、やや低めにすると丁寧な印象になります。

うーん……イメージできません。

例えば、賑やかなイベント会場で話したりするときは、「こちらで～す」と手を高くあげ、声も明るいものになりますよね。反対に格式のあるホテルで「こちらでございます」と示すときは、声も低めで、手はやや低めの位置になりませんか？

あっ確かに！

あとね、メディアで話す場合は、他の人が話しているときも気を抜かないように注意してください。グループ・プレゼンテーションなどでは、自分が話していないときもカメラは回っています。我関せずといった姿勢や気の抜けた顔が映されていることもよーくあります。お気をつけくださいね。

うっ。ありがちです‼

自分が話していなくても、映る側にいる以上は出演者です。役者さんの演技が上手か下手かは、セリフがないときにこそわかると言われています。それと同じです。

瞬きと視線、良い「笑顔」とダメな「笑顔」

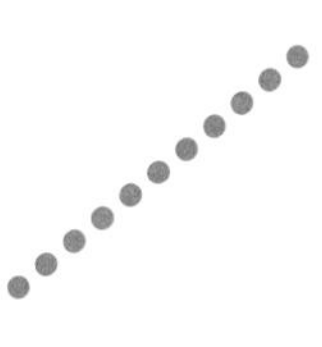

自分が映っている動画を見ると、瞬きがとにかく多くて、自信のなさが露呈しています。
これ、なんとかしたいのですが……。

瞬きですか……。普段はそうでもないのにね。

ええ、カメラを向けられると緊張するからだと思います。

緊張すると、目も乾燥しますからね。

いやいや先生。そんなレベルではなく、せわしなくパチパチして、とってもみっともないんです！　私、本当に悩んでるんです。

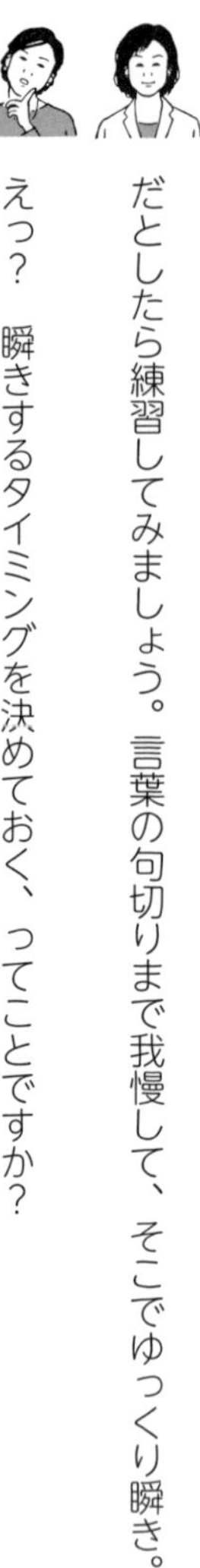

だとしたら練習してみましょう。言葉の句切りまで我慢して、そこでゆっくり瞬き。

えっ？　瞬きするタイミングを決めておく、ってことですか？

できれば、決めておきましょう。慣れたら、自然にまかせて大丈夫。目を閉じたいっていうのは、もしかしたら、一瞬この場から逃げたいって気持ちがあるからかもしれませんね。

そんなあ〜。でも、確かに準備不足のときほど、パチパチしてます。多分……。

ホリエモンさんなどは、あんまり瞬きしなさそうですね。

それって、自分に自信がある人は瞬きが少ないってことですか？

う〜ん。多分そういうことです。それにね、毎日動画を発信しているような方は慣れていくんです。アナウンサーも同じです。

慣れと自信、欲しいです。

瞬きも気になりますが、それよりも大事なのは「視線」と「笑顔」です。

それって、どういうことですか？

例えば、学生にスピーチの発表をしてもらうと、視線を合わせるのが苦手な人は、ずっと目線が上の方を向いていたり、ずっとホワイトボードに書きながら話していたりするんです。もの凄く残念なんですよね。見ている方は、「こっちを見て！」って言いたい感じです。

好印象！ 動画での「話し方」のコツ

- 基本は「ゆっくり」「はっきり」「語りかけるように」。
- テレビの場合はカメラのあたりに、ラジオではマイクの2〜3メートル先に、聞き手を想定します。その聞き手に話しかけるようにします。
- 新人アナウンサーの中には、スタジオにぬいぐるみや写真を置く人がいます。リラックスでき、その相手に話しかけるつもりになれるからです。試してみる価値はあります。

そういう学生さんには、どういう風に指導されるんですか？

性格もあったりするのですが、「**相手の目じゃなくても良いから、口のところを見ましょう**」とか、「**ホワイトボードを見ていると声が通らないので、書いたら向き直りましょう**」とか。

目線は大事ですね。

結局、話し手がその場を楽しめてない、ってことかもしれません。

あぁ、私、楽しめてないです……。

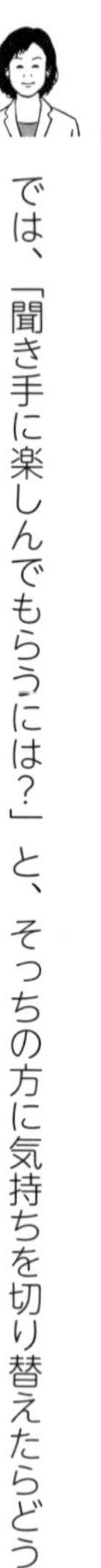

では、「聞き手に楽しんでもらうには？」と、そっちの方に気持ちを切り替えたらどうでしょうか。

はい…。なかなか、そこまで余裕がないですねぇ。

でもまあ、場数ですよ。

いつか、慣れるんでしょうかね？

きっとあと少しで、麻由美さんも変わります。マイクを持つのが快感になったりして。

えー。想像できません！

大事なのは、良い笑顔とダメな笑顔を知ることです。

ダメな笑顔？

笑顔は聞き手をリラックスさせます。話す前に緊張したら、無理にでもにっこりしてみてください。**にっこりすると、話し手自身もリラックスできます**よ。

冒頭に話す人の笑顔が見られると、見ている方もなんだかほっとします。

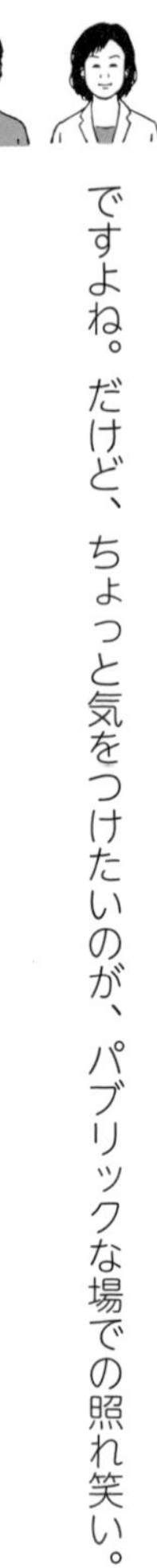

ですよね。だけど、ちょっと気をつけたいのが、パブリックな場での照れ笑い。

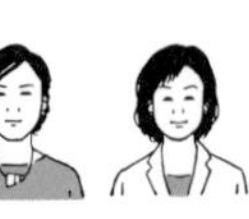

それが、ダメな笑顔ですね！

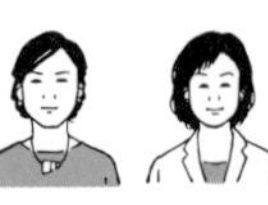

そう。自信がないときに、つい照れて笑ってしまうことは誰にでもあります。でも、**パブリックな場や、深刻な内容のときの照れ笑いは、話の内容の信憑性を低下させてしまいます。**

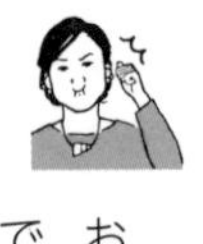

お祝いの記者会見での笑顔は良いですけど、反省や謝罪の記者会見で笑うと完全アウトですものね。

そうです。ごまかしや責任逃れと映りますからね。

自分の表情ひとつで、印象が大きく変わる。伝わることまで変わってしまう、ということですね。

そう、その通りです！　**話し手が恥ずかしがっていることって、実は聞き手にとってはどうでも良いことがほとんど**ですからね。自分目線の照れ笑いよりは、聞き手に直球で伝えることの方がずっと大切です。

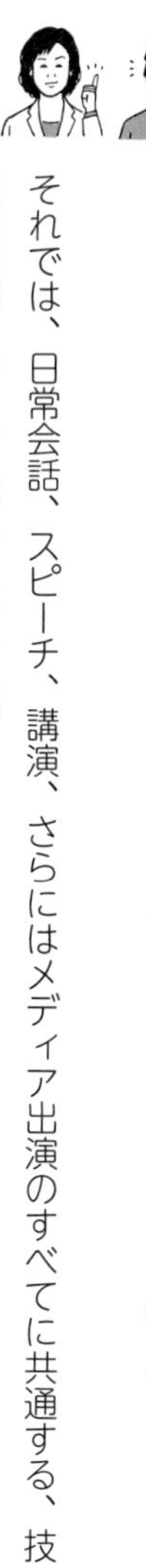

がんばります！　では、最後に聞き手に直球で伝えるためのポイントを教えてください。

それでは、日常会話、スピーチ、講演、さらにはメディア出演のすべてに共通する、技術的なポイントをあげてみますね。

①表情、②姿勢・動作、③目線（視線）、④発声・発音、⑤速度、⑥抑揚（イントネーション）、⑦構成、⑧言葉づかい

この8つです。これらのポイントを押さえたうえで、これまでレッスンしてきたことが身についていれば、素晴らしいと思います！

はい。私も完璧を目指します！

いえいえ、スピーチに完璧なんてないんです。正解もひとつじゃありません。**完璧を目指すよりは、聞き手とコミュニケーションすることを目指してくださいね。**それこそが、「不安が自信に変わる話し方」への近道なのですから。

第6章
まとめ

❶画面映りを良くするコツは、一に照明、二に髪型、三・四はなくて、五にメイク。
❷座って話すときは、ももの裏側を椅子に密着させて、身体を支えるイメージで。
❸メディアで話すときは、人が話しているときも気を抜かない。
❹良い「笑顔」は効果的に使い、ダメな「笑顔」は使わない。

好印象！動画での「表情・姿勢・目線」のコツ

- ☑ 基本はにっこりです。深刻な話題の場合は、見る人に寄り添うような表情を心がけましょう。
- ☑ 自分ではにっこりしているつもりでも、人にはそう見えないこともあります。表情筋を鍛えて、鏡の前で研究しましょう。
- ☑ 手許のメモや原稿を見ると、首が前傾しがちです。できるだけ俯かず、視線だけを下げましょう。原稿を置く位置も工夫しましょう。
- ☑ 座ったとき、ジャケットの背中側の衿が浮いてしまうことがあります。ジャケットの裾をお尻に敷くと、スッキリした印象になります。
- ☑ テレビカメラの真ん中をじっと見つめないようにしましょう。視線がきつくなってしまうからです。多くの場合カメラのレンズの一番下の縁のあたりを見ると、柔らかい印象になります。ただし、カメラとの位置関係や顔立ちによって印象が大きく変わりますから、モニターで確認するようにしてください。
- ☑ 対談相手がいる場合は、相手だけでなく、カメラの方も意識します。

彩子先生の
脱話し下手コラム
6

「息」と「声」と「言葉」は全部つながっている

メディア用の特別な話し方というものは、ありません。自然で、感じ良く、正確に伝わるのが良いのは、メディアでも、会話やスピーチでも同じです。

ただし、メディアの場合、聞き手は目の前にいません。そのうえ聞き手は不特定多数ですし、その話題に興味がある人ばかりとは限りません。ですから、その人たちに聞いてもらうには、ある種の「気合い」のようなものが必要になってきます。

思わず聞きたくなる「気合い」のようなものとは

私は20年以上にわたって、テレビ東京の番組「レディス4(フォー)」の中で、1分間コーナーのナレーションを担当していました。内容は三越百貨店の催しものの紹介です。番組の本編からコマーシャルに切り替わる最初のところで、「日本橋三越本店、今週のご案内です」と始まり、「今週も日本橋三越本店へ、ぜひどうぞ」で終わるのが、ナレーションの決まり文句です。

さて、もしあなたが視聴者なら、コマーシャルが始まった瞬間に何をするでしょうか。トイレに立つかもしれません。それともチャンネルを切り替えて、ほかの番組の方が面白そうだったらそちらに変えてしまうでしょうか？　私が視聴者なら、多分そうします。

でも、ナレーターとしては、それでは困ります。内容を理解してもらい、興味をもってもらい、店に足を運んでもらい、買って頂くところまで漕ぎつけて、やっとコマーシャルが成功するのです。ＣＭナレーターというのは、なかなかハードルが高い仕事です。

そこで**私は、今まさにテレビに背を向けて立ち上がりかけている人が、思わず振り返って耳を傾けてくれるようにと願いながら、第一声を発する**ようにしていました。「これからステキな展覧会や、お得なバーゲンのお知らせをします。どうぞ聞いてくださいね！」と、そんな気持ちです。これが「気合い」のようなものです。

「気合い」があれば、気持ちは伝わる

「気合い」というのが具体的にどんなものなのか、実はいまだに私にも良くわかりません。でも、「聞いてくださいね！」という気持ちになると、なぜかそういう声になるのです。

そしてその声で伝えた言葉は、いつもの決まり文句でも、聞き手に響きます。

気合いを入れると、まず呼吸が変わります。息を吸うところから、何かが変わるのです。当然吐く息も変わります。「聞いて！」と願うと、声にも気合いが入ります。すると、同じ言葉でも不思議と伝わり方が違ってくるのです。決して力むわけではないのに、ちゃんと中身の詰まった声と言葉になるのです。**息・声・言葉は、つながっているのです。**

コマーシャル以外の場合も同じです。旅や山などのアウトドアの番組のナレーションを担当するときに私は、自分がその景色の中にいるつもりで原稿を読むように心がけています。実際に私がいるのは狭いスタジオ、見ているのは小さなモニター画面、読んでいるのは紙の上の原稿です。まるで究極のインドアのような環境です。それでもできるだけ視聴者が見ているのと同じ空間を、自分のまわりに立ちあげようと試みます。深い呼吸で山を見上げたり、息を殺して花にとまった蝶を見つめたり……。そんな呼吸で言葉を出せたときには、実感のこもったナレーションになります。

息・声・言葉が、自分と人をつなぐ

音声合成の技術が進歩し、コンピュータで話し言葉を作れるようになりました。そればかりかＡＩアナウンサーさえ誕生しています。それでも人間のナマの声で言葉を聞きたいと、多くの人が思います。なぜでしょうか。その人ならではの息づかいが感じられる言葉に、人はひかれるからです。

私たちの生涯の呼吸数は、一説によると６～７億などと言われています。そうやって吐く息のうち、少なくとも何パーセントかは、声になり言葉になって誰かに伝わっていきます。その言葉で、誰かが何かを考えたり、行動を起こしたりします。あなたの言葉が、誰かの救いになるかもしれません。**あなたの言葉が、声が、誰かの中でこれからずっと響き続けるかもしれません。**息・声・言葉は、つながっています。そして息・声・言葉が、自分と人をつないでもいるのです。

エピローグ

相手の心に種をまく

「伝えるとは、相手の心に種をまくこと」

彩子先生に教えて頂いた中で、一番印象に残っている言葉です。

どんなに流暢に、どんなにいい声で、「私はこう思います」「こんなことがあったんです」と誰かに話しても、それだけでは、ほんとうの意味で相手には伝わらない。

「私はこう思うのですが、どうでしょう?」「こんなことがあったんです。どう思われますか?」

……そんな風に、心の矢印を自分に向けず、相手に心から話しかけるように伝えると、聞き手はちゃんと耳を傾けてくれる。そうして伝えた思いは、相手の心に種となってそっと宿り、ふとしたときに相手の中で芽吹き、ときに花を咲かせる。

「あーあのとき、あの人はこんなことを言ってたなぁ」と思い返してもらえることがあったとしたら、それはとても素敵なことではないでしょうか。

彩子先生はアナウンサーとして40年以上も第一線で活躍されています。女性アナウンサーでこれだけのキャリアの方は、あまりいらっしゃいません。先生がそんな思いで「伝える」ことを続けていらしたからこそ、今の彩子先生がおられるのでしょう。

さて、人前で話すことが苦手だった私も、気がつけば、目線が泳ぐことも、慌てて早口になることもなくなりました。この半年、ビシビシ鍛えて頂いたおかげです。自信を持って人前で話せるようになったか、と訊かれると、まだ大きな声でイエスとは言えません。でも、漠然とした不安はなくなりました。それは、ノウハウを習得できたからではなく、教えて頂いた「伝えることの本質」が私の中で芽吹いているからです。

「カッコ良く話す」より「この人と話したい、と思ってもらうこと」を軸にすると、大切にすべきものが変わります。「相手との間に楽しい時間を紡ぐこと」を目標にすると、見栄のようなものが消え、気がつけば、うまく話せるようになった気がします。

そして何よりも、この本を手にとってくださった方が、話すことへの不安が消え、大切な人の前で、大切な場面で、自信をもって笑顔で話せますようにと願っています。

彩子先生、そして、三才ブックス・編集長の神浦高志氏に心よりお礼を申し上げます。

稲垣麻由美

おわりに

今持っているもので、聞き手と向き合う

この本に収録された半年にわたるレッスンが終わる頃、麻由美さんが大舞台に挑戦する機会がやってきました。大学の社会人向け講座で、2時間半の講演をすることになったのです。私にとっては、「教え子の卒業講演」のようなものです。ドキドキしながら、講座を聴講しました。最初は「発声OK！　視線良し！」などといちいち採点していた私ですが、すぐに話に引き込まれ、そんなことはどうでも良くなりました。率直で丁寧な麻由美さんの話しぶりは、確実に聞き手の心をつかんでいました。講演の最後に行われた参加者を交えての話し合いは、フレンドリーな空気で満たされました。

そう！　これが話し手と聞き手との、ときと場の共有なのです。

スピーチするときの心構えとして大切なもの、それは一種の「捨て身」になることだと私は考えています。もちろん、技術は技術で日々磨きます。しかし人前に立ったら作為もエゴもできるだけ忘れて、とりあえず今持っているもので、聞き手と向き合うのです。麻由美さんの講演には、それがありました。

技術だって、満点である必要はありません。例えば、にこやかな表情、聞きやすい声、人をひきつける構成、的確な言葉づかい……これらのどれか一つでもあれば、聞き手はついてきてくれます。そして何より「伝えたい」という熱意があれば、聞き手は何かを感じ取るものです。環境破壊を危惧する北欧の少女の訴えが、世界中の人に強い印象を与えたように。

積極的な人の話にも、シャイな人の話にも、それぞれの良さがあります。その良さを最大限に活かすためのヒントを、この本に詰め込んだつもりです。読者のみなさんが自分の良いところを活かしながら、何か一つでも「やってみよう」と思えるヒントを見つけてくださっていることを願います。

猛暑の中、いい大人が集まって「アエイウエオアオ」と声を出すのは楽しい経験でした。レッスンに立ち合い、的確なアドバイスをくださった一凛堂の上條悦子さん、大きな方向を示しながら、私たちが伝えたいことを明確化してくださった三才ブックスの神浦高志編集長に、お礼を申し上げます。そしてここまでお付き合いくださった読者のあなたに、心から感謝いたします。

深沢彩子

話すときに大切な7つのこと

①恥をかくことを恐れない。

- あなたが「恥」と思っていることは、実はたいしたことではない場合が多い。
- 人はあなたのことをそれほど気にしていない。だから、思い切って話して大丈夫。

②準備を怠らない。長さにも注意。

- 1分間のスピーチ原稿なら、目安は400字詰め原稿用紙の3分の2程度。

③結論から話す勇気を。

- 「結論が先」だと、聞き手は納得しやすい。
- 「本当は何が言いたいのか」をよく考えて話を組み立てよう。

④聞き手を見て話す。

●聞き手をうなずかせて、そのうなずきと「対話」する気持ちで。

⑤短文形式で話す。

●接続詞を多用したり、語尾をのばしたりして、文をつなげ過ぎない。

⑥「間」を活かす。

●文の切れ目や間は、聞かせどころ。

●聞き手は話の合い間に、うなずいたり考えたりして、理解し納得する。

⑦オープンマインドで、風通しを良く。

●話し手が心を開けば、聞き手も心を開く。

●コミュニケーションは風通し良く。聞き手との間に気持ち良い風を吹かせよう。

「表情」「姿勢」「視線（目線）」「発声」「速度」「抑揚」「構成」「言葉づかい」がポイント！

超お役立ち!

スピーチ構成シート(数分〜数十分程度)

時間(※1)	スピーチ内容	補助材料など(※2)
	■ 導入 挨拶・名前・つかみ 今日は ＿＿＿＿＿＿＿＿＿＿ についてお話しします。 まず、① ＿＿＿＿＿＿＿＿＿＿ それから、② ＿＿＿＿＿＿＿＿＿＿ そして③ ＿＿＿＿＿＿＿＿＿＿ についてお話しします。	
	■ 本論(2〜数項目) では、①についてです。 ① ＿＿＿＿＿＿＿＿＿＿ ＿＿＿＿＿＿＿＿＿＿ ＿＿＿＿＿＿＿＿＿＿ ＿＿＿＿＿＿＿＿＿＿ ①についてお話ししました。	
	次に、②についてです。	

このページはコピーしてご使用ください

	②＿＿＿＿＿＿＿＿＿＿＿＿ ＿＿＿＿＿＿＿＿＿＿＿＿ ＿＿＿＿＿＿＿＿＿＿＿＿ ＿＿＿＿＿＿＿＿＿＿＿＿ ＿＿＿＿＿＿＿＿＿＿＿＿ ②についてお話ししました。	
	次に、③についてです。 ③＿＿＿＿＿＿＿＿＿＿＿＿ ＿＿＿＿＿＿＿＿＿＿＿＿ ＿＿＿＿＿＿＿＿＿＿＿＿ ＿＿＿＿＿＿＿＿＿＿＿＿ ＿＿＿＿＿＿＿＿＿＿＿＿ ③についてお話ししました。	
	■ まとめ 今日は ＿＿＿＿＿＿＿＿＿＿＿＿ についてお話ししました。 呼びかけ、挨拶など	

※1 部分ごとの時間、積算時間、「〇時〇分」などを併記すると、わかりやすい。

※2「スライドや現物を見せる」「資料を配る」「音声資料を聞かせる」「歩きながら話す」など。

著者プロフィール

深沢彩子

早稲田大学教育学部卒業後、ラジオ福島にアナウンサーとして入社。1981年よりフリーアナウンサーとして活動を開始。30年続くNHK-FM『歌謡スクランブル』のDJを立ち上げのときから担当。2004年、社会人大学院生として佛教大学通信教育部大学院修士課程を修了。専門は日本語学・音声学。昭和女子大学・桜美林大学では、本名の山田彩子名で、スピーチなどを教えている。テレビ朝日『小さい旅』、日本テレビ『午後は○○おもいッきりテレビ』の「きょうは何の日」などでナレーター、NHK『お達者くらぶ』などでレポーターを担当。他にも、角川エンタテインメントDVD『博士の愛した数式「数学クイズ」』、山と渓谷社ビデオ『日本百名山』、ドキュメンタリー映画『地球のステージ　ありがとうの物語』などでナレーターを務める。衆議院事務局や企業での研修も多数。放送現場での実践と、教育・研究の場での理論の橋渡しをし、音声表現の「できる」と「わかる」をつなげたいと願っている。

所属事務所ミーアンドハーコーポレーション　http://www.me-her.co.jp/

NHK-FM『歌謡スクランブル』　https://www4.nhk.or.jp/kayou/

稲垣麻由美

文筆家・ブランディングディレクター。株式会社一凛堂代表取締役。ライター・編集者を経て執筆活動をスタート。現在、執筆の活動と並行し、政治家・経営者・ビジネス書著者を主なクライアントとしたブランディング事業も展開。7年近い取材を経て刊行した『戦地で生きる支えとなった115通の恋文』（扶桑社）は、舞台の原案となった他、「一筆啓上 日本一短い手紙の館」（福井県）にて1か月の企画展にもなり、話題の1冊となる。他に『人生でほんとうに大切なこと　がん専門の精神科医 清水研と患者たちの対話』（KADOKAWA）など。

株式会社一凛堂　http://ichirindou.com/

参考文献

- 『日本語音声の研究Ⅰ　日本人の声』
  杉藤美代子／1994年／和泉書院
- 『ささやく恋人、りきむレポーター　口の中の文化』
  定延利之／2005年／岩波書店
- 『日本人の声』
  鈴木松美・編著／2003年／洋泉社
- 『身体感覚を取り戻す―腰・ハラ文化の再生』
  齋藤孝／2000年／NHK出版
- 『発声と身体のレッスン　魅力的な「こえ」と「からだ」を作るために』
  鴻上尚史／2002年／白水社
- 『声の呼吸法　美しい響きをつくる』
  米山文明／2003年／平凡社
- 『あなたの生き方を変えるボイストレーニングの本』
  パッツィ・ローデンバーグ（吉田美枝訳）／2001年／劇書房
- 『「医師」と「声楽家」が解き明かす発声のメカニズム
  いまの発声法であなたののどは大丈夫ですか』
  萩野仁志・後野仁彦／2004年／音楽之友社
- 『日本語のレッスン』
  竹内敏晴／1998年／講談社
- 『日本語の呼吸』
  鴨下信一／2004年／筑摩書房
- 『劇団四季メソッド「美しい日本語の話し方」』
  浅利慶太／2013年／文藝春秋
- 『人生は「声」で決まる』
  竹内一郎／2018年／朝日新聞出版
- 『朗読のススメ』
  永井一郎／2009年／新潮社
- 『ベラ・レーヌ・システム』
  岡田正子／2001年／フランス演劇クレアシオン
- 『メディアの日本語　音声はどう伝えているか』
  長谷川勝彦／2000年／万葉舎
- 『敬語はこわくない　最新用例と基礎知識』
  井上史雄／1999年／講談社
- 『非言語（ノンバーバル）コミュニケーション』
  マジョリー・F・ヴァーガス（石丸正訳）／1987年／新潮社
- 『伝わるスピーチ AtoZ　口語表現ワークブック』
  荒木晶子、籾田照子、尾関桂子、藤木美奈子、甕克実、山本薫／2013年／実教出版
- 『8割の人は自分の声が嫌い　心に届く声、伝わる声』
  山崎広子／2014年／KADOKAWA

不安が自信に変わる

話し方の教室

2020年2月1日　第1刷発行
定価（本体1,400円＋税）

著者　深沢彩子／稲垣麻由美
装丁　ISSHIKI
DTP　ISSHIKI
似顔絵作成　大嶋奈都子
イラスト　山本和香奈（P79、P232）

編集協力　上條悦子／齋藤菜名美
企画協力　NPO法人 企画のたまご屋さん

発行人　塩見正孝
編集人　神浦高志
販売営業　小川仙丈／中村崇／神浦絢子

印刷・製本　図書印刷株式会社

発行　株式会社三才ブックス
〒101-0041
東京都千代田区神田須田町2-6-5 OS'85ビル
TEL:03-3255-7995
FAX:03-5298-3520
URL:http://www.sansaibooks.co.jp/